CW0859163

A dyna lle'r oedd hen ewythr Arthur ei mam—y cnaf ei hun—yn fawr ac yn *fyw*, yn sefyll ar stepen uchaf y grisiau yn gweiddi'n groch arni. Ond ni fedrai Siân yn ei byw glywed ei eiriau. Pylodd y llun yn araf o'i golwg.

Agorodd ei llygaid, yn fyr ei gwynt, i weld y ci tryloyw'n llyfu trowser Mr Spurgeon. Corddodd ei stumog. Beth oedd yn digwydd iddi? A beth oedd Arthur yn trio'i ddweud? Taflodd gipolwg ar Dafydd. Edrychai'n fwy crynedig na hi! Gwyddai, heb os nac oni bai, ei fod wedi gweld yr un peth â hi. Beth oedd ystyr y cwbl? Y ci yn ymddangos fel ysbryd iddyn nhw. Dyna beth oedd y Labrador, yntê? Bwgan! Ac yna'r teimlad o fod ar wahân i bawb arall. Ac yn awr, y breuddwyd, neu'r weledigaeth o Arthur. Pam roedd o mor filain?

'Fedri di weld *trwy'r* ci 'na!' meddai Siân mewn llais crynedig, gan graffu'n syth o'i blaen a'i llygaid yn sefyll yn ei phen.

'Be?' Trodd Dafydd at ei chwaer. Roedd o'i go am ei bod hi wedi'i lusgo i ffwrdd oddi wrth gêm dda o bêl-droed, ac roedd o ar dân eisio mynd yn ôl. 'Am be wyt ti'n sôn? Pa gi?'

'Hwnna!'

Trawodd y sioc ef fel trochiad o ddŵr oer. Roedd hi'n iawn! Rhedai Labrador o gwmpas cae chwarae'r ysgol, a medrai weld popeth yn glir trwy ei gorff—mor glir, fel y gallai ddarllen neges y baneri y tu ôl iddo.

RHAID ACHUB
LLOCHES ANIFEILIAID HOCKLEY!
NAWR!

Perliodd chwys sӳdyn ar ei dalcen. Corddodd ei stumog ac aeth cledrau'i ddwylo'n oer a llaith. Hoeliodd ei lygaid ar y ci eto. Doedd y peth ddim yn bosib! Yn nac oedd? Ci . . . y medrai *weld* trwyddo? Na! Rhaid bod yna esboniad. Ond be?

'Fedra i ddim coelio'r peth!' meddai'n gryglyd.

'Na finna,' cytunodd Siân. 'Rhyw gast rhyfedd ar y golau ydi o, mae'n rhaid.'

Daliai'r ci i brancio o gwmpas y cae gan neidio ambell waith am bêl a wibiai'n agos ato. Tywynnai'r haul fel arfer, heb ddim ond addewid gwan o law. Diwrnod hollol normal! Doedd o ddim yn dric golau felly.

'Be mae'r lleill yn ei ddweud?' Edrychodd Dafydd tua'r plant eraill gan obeithio cael cefnogaeth.

'Dydyn nhw ddim yn ei weld o, siŵr i ti,' atebodd ei efell, 'neu fuasen nhw wedi dweud rhywbeth cyn hyn.'

'Mae'n rhaid eu bod nhw!' protestiodd Dafydd, er y gwyddai yn ei galon ei bod hi'n dweud y gwir. Ond pam nad oedd neb arall yn gallu gweld y ci? Roedd y peth yn ddirgelwch. Ac i wneud pethau'n waeth, dechreuodd y cae chwarae o'i flaen droi'n ansad ac aneglur. Roedd y cae, a'r plant a chwaraeai arno, yn dal i *fod* yno . . . ond eto, rywfodd, doedden nhw ddim. Be gebyst oedd yn digwydd? Ysgubodd teimlad annifyr drosto, fel pe na bai o, na Siân, yn perthyn i'r lle o gwbl—ddim yn y presennol, nac mewn unrhyw amser arall, chwaith.

'Pam na ofynni di i Gari?' anogodd Siân ef yn grynedig. 'Gofyn iddo ydi o'n gweld y ci.'

'Dim ffiars!'

Cynyddodd y teimlad annifyr. Rhyw deimlad o

ddatgysylltiad oddi wrth y presennol ydoedd, ac roedd yn cael yr un effaith ar y ddau ohonynt. Tynnwyd eu llygaid yn ôl at y Labrador wrth iddo neidio am bêl arall cyn rhedeg at y baneri yng ngwaelod y cae. Yr athrawon a roddodd y rheini yno. Roedd yr ysgol wedi bod yn cynnal cyfres o weithgareddau i godi pres i'r Lloches Anifeiliaid gan fod y lle mewn dyled fawr. Os na ddeuai swm sylweddol o arian i mewn erbyn diwedd y mis, yna byddai'n gorfod cau.

'Dim ond ni'n dau sy'n 'i weld o, felly!' ebychodd Dafydd.

'Ia, debyg.' Syllodd Siân yn ôl arno, ei gwallt du a'i llygaid brown yr un ffunud â rhai ei brawd. Un ar ddeg oed oedd y ddau, ac yn dal i fod yn glòs iawn. Doedd dim rhaid dweud mwy. Gwyddent fod rhywbeth mawr ar fin ysgytio'u bywydau. 'Paid ag edrych mor ofnus,' sibrydodd wedyn yn chwyrn, 'neu mi fydd pawb yn meddwl dy fod ar fin drysu.'

'Efalla 'mod i!' mwmianodd Dafydd yn ôl.

Roedd y teimlad o arwahanrwydd, ac o beidio â bod ar gae chwarae'r ysgol o gwbl, yn codi mwy o ofn arno na gweld ci tryloyw. Teimlai fel petai'n un o gynulleidfa yn gwylio ffilm o'r digwyddiadau yn y cae chwarae.

Yn sydyn, rhuthrodd y Labrador atynt a'i lygaid yn goleuo mewn cyfeillgarwch. Neidiodd a rhoi ei ddwy bawen ar ysgwyddau Siân a llyfu ei hwyneb. Gwnaeth yr un peth i Dafydd. Gallai'r ddau deimlo'i wynt poeth ond pan geision nhw ei fwytho aeth eu dwylo'n syth drwy'i flew i mewn i wacter llwyr.

'Be 'dach chi'n neud?' Rhedodd Gari i fyny a phêl yn ei law. Edrychai ei wyneb crwn, brychlyd, yn ddryslyd dan flerwch ei wallt coch. Ond trodd y dryswch yn watwar yn ddigon sydyn.

''Dach chi 'di mynd yn hollol bananas neu rywbeth?'

Yn ddirybudd, gwegiodd y cae chwarae o flaen yr efeilliaid nes bod y ffocws yn iawn unwaith eto, a byrlymwyd nhw'n ôl i'r presennol.

'Nac ydan!' Cuchiodd Dafydd arno. Gallai Gari fod yn sbeitlyd iawn. Os digwyddai rhywbeth allan o'r cyffredin, Gari fyddai'r cyntaf i'w fychanu a'i ddirmygu—ac roedd profiad Dafydd a Siân yn un anghyffredin iawn. Châi o wybod *dim* ganddyn nhw. Cododd Dafydd ei ysgwyddau mor ddidaro ag y medrai, ac er mawr ryddhad iddo, llithrodd pawennau'r Labrador i lawr a dechreuodd y ci ffroeni darn o bren ar y llawr.

'Pam roeddet ti'n chwifio dy freichiau fel'na?'

'Dim rheswm arbennig,' atebodd Dafydd gan wrido.

'Bacha hi o 'ma, Gari!' Gallai Siân fod yn ffyrnig iawn weithiau, yn enwedig efo bechgyn. Roedd ar y rhan fwya ei hofn hi braidd. Ond rywfodd, synhwyrai Gari fod rhywbeth yn y gwynt a daliodd ei dir. Gwenodd yn annymunol.

'Ffansïo dy hun fel tipyn o ddawnsiwr wyt ti, Daf? Ti'n mynd i ymuno â chlwb dawnsio Miss Tivett? Dipyn o bale a thap efalla?'

Yn ffodus i Dafydd, canodd gloch yr ysgol y foment honno ac ni fu'n rhaid iddo ateb.

'Gwnewch linell!' gwaeddodd Mr Spurgeon. 'Gwnewch linell! Nawr!'

Er mawr ofid i'r efeilliaid, ymunodd y Labrador â'r lleill hefyd.

Eisteddodd drychiolaeth y ci y tu ôl i Mr Spurgeon. Dechreuodd ei lyfu ei hun tra soniai'r athro am drip ysgol y tymor nesaf i fyny afon Tafwys, a'r holl agweddau ar fyd natur roedd o am eu dangos iddynt. Medrai wneud y pethau mwya diddorol swnio'n ddiflas. Dechreuodd Siân bendwmpian. Diolchodd fod y teimlad cas o ddatgysylltiad â'r presennol wedi mynd, ond roedd y sioc o weld ci tryloyw, a'r diffyg esboniad am y peth, wedi ei gwneud hi'n flinedig iawn.

Drwy eu plentyndod, roedd hi a Dafydd wedi rhannu'r un greddfau a theimladau. Doedd dim rhyfedd, felly, iddyn nhw rannu'r un profiad erchyll yma hefyd. Ond er iddyn nhw brofi'r peth gyda'i gilydd, bu'n brofiad digon arswydus i Siân.

Gwnaeth ei gorau i wrando ar Mr Spurgeon ond mynnai ei llygaid gau er ei gwaethaf. Gwelai fod Dafydd yn cael yr un drafferth. Cripiodd oerfel sydyn drosti a throi ei thraed a'i dwylo yn dalpau o rew. Curodd ei chalon yn ffyrnig wrth i deimlad

11

newydd o ofn gydio ynddi, a theimlai fod darnau o blwm yn pwyso ei hamrannau i lawr.

Yn hanner pendwmpian, neidiodd llun arall o flaen llygaid Siân. Clamp o ddyn mawr! Hen Ewythr Arthur ei mam! Fe'i hadnabu ar unwaith, er ei fod wedi marw tua diwedd yr Ail Ryfel Byd. Gwelsai amryw o luniau ohono fo gartre, wedi'i wisgo mewn siwt a sglein arni, het trilbi, a chanddo fwstás mawr du, a llygaid a golwg ddirmygus ynddyn nhw. A dweud y gwir, teimlai'n reit ofnus ohono, dim ond trwy edrych ar ei lun. Roedd e mor fawr a phwerus. Dipyn o chwedl oedd o yn y teulu hefyd. Wedi bod yn droseddwr, medden nhw—yn lleidr, ond lleidr gwahanol i'r cyffredin, yn ôl yr hanes, gan ei fod yn rhoi rhan helaeth o'i ysbail i'r tlodion. Roedd o'n meddwl y byd o anifeiliaid ac wedi rhoi symiau sylweddol o arian i'r Lloches Anifeiliaid a agorwyd rai blynyddoedd cyn y rhyfel. Ond cofiodd Siân ei mam yn dweud amdano; 'Cnaf o'r iawn ryw oedd o, cofiwch! Peidiwch â chael eich twyllo i feddwl mai rhyw fath o Robin Hood oedd o!'

A dyna lle'r oedd y cnaf ei hun, yn fawr ac yn *fyw*, ac yn sefyll ar stepen uchaf rhes o risiau cerrig ac yn gweiddi'n groch arni. Ond ni fedrai yn ei byw glywed ei eiriau. Pylodd y llun yn araf o'i golwg.

Agorodd ei llygaid, yn fyr ei gwynt, i weld y ci tryloyw'n llyfu trowser Mr Spurgeon. Corddodd ei stumog. Beth oedd yn digwydd iddi? A beth oedd

Arthur yn trio'i ddweud? Taflodd gipolwg ar Dafydd. Edrychai'n fwy crynedig na hi! Gwyddai, heb os nac oni bai, ei fod wedi gweld yr un peth â hi. Beth oedd ystyr y cwbl? Y ci yn ymddangos fel ysbryd iddyn nhw. Dyna beth oedd y Labrador, yntê? Bwgan! Ac yna'r teimlad o fod ar wahân i bawb arall. Ac yn awr, y breuddwyd, neu'r weledigaeth, o Arthur. Pam roedd o mor filain?

Roedd Dafydd yr un mor ofnus a dryslyd â'i chwaer. Roedd yntau wedi teimlo'n gysglyd ac wedi gweld Arthur yn sefyll ar ben y grisiau'n gweiddi arno. Buasai'n rhoi'r byd, y foment honno, am gael siarad â Siân—i ddeall beth oedd yn digwydd. Dim ond hi a fedrai dawelu ei ofnau a gwneud iddo deimlo'n ddiogel.

'Dafydd Golding!'

Deffrodd i weld bod llygaid glas Mr Spurgeon wedi'u hoelio arno.

'Ia, syr?'

'Roeddech chi'n cysgu!'

'Nac oeddwn . . .'

'Mi welais i chi â'm llygaid fy hun.'

O gornel ei lygaid gwelodd Dafydd Gari'n gwenu fel giât. Ysgyrnygodd o dan ei wynt. 'Mi dala i'n ôl i ti ryw ddiwrnod!'

'Na, syr,' meddai wedyn wrth yr athro.

'Ydach chi'n fy ngalw i'n gelwyddgi?'

'Nac ydw, syr. Dim ond cau fy llygaid am eiliad wnes i.'

'Pam?'

'Er mwyn gwrando'n well.'

Chwarddodd yr holl ddosbarth am ei ben. Cododd y ci a llyfu garddwrn Mr Spurgeon. Heb aros i feddwl, dywedodd Dafydd, 'Mae 'na gi'n llyfu'ch braich chi, syr.' Yna caeodd ei lygaid yn dynn mewn cywilydd a dryswch. Doedd e erioed wedi dweud hynny wrth yr athro? Ai dal i freuddwydio'r oedd o? A fyddai'n deffro mewn munud a gweld fod popeth yn normal? Ni chawsai erioed freuddwyd tebyg i hwn.

Ffrwydrodd mynydd o chwerthin o'i gwmpas, ac aeth ymlaen ac ymlaen er gwaethaf rhybuddion blin Mr Spurgeon. Fedrai ddim credu pa mor dwp oedd o. Roedd o'n cymysgu'r presennol efo . . . efo be? Gwelai Siân yn syllu'n bryderus arno. O, roedd o'n teimlo fel waldio rhywun, a phwy gwell na Gari? Roedd o'n chwerthin yn uwch na neb arall.

'Beth ddywedsoch chi, Dafydd?'

'Roedd 'na gi . . .' Bu farw ei lais, a pheidiodd y chwerthin. Roedd pawb yn dal ei gwynt i weld be wnâi Mr Spurgeon iddo.

'Ia, dyna oeddwn i'n meddwl i mi'i glywed. Comedïwr ydach chi?'

'Nage, syr.'

'Beth ydach chi, felly?'

'Wn i ddim, syr.'

'Fe ddyweda i wrthach chi. *Twpsyn* ydach chi, Golding! Beth ydach chi?'

'Twpsyn, syr.'

14

Sisialodd awel ddistaw o chwerthin drwy'r dosbarth, ac yna disgynnodd tawelwch wrth i bawb ddisgwyl y canlyniadau.

'Ydach chi'n gwybod beth sy'n digwydd i dwpsod, Golding?'

'Nacdw, syr.' Syllai Dafydd ar y ci'n llyfu garddwrn Mr Spurgeon unwaith eto.'

'Cawn nhw eu cadw ar ôl ysgol i wneud penyd. Cymaint ohonyn nhw fel y bydd yn rhaid iddyn nhw fynd i weld Mr Decker, y prifathro, yn y diwedd.'

'O ia, syr?' Ni fedrai Dafydd yn ei fyw feddwl am ddim byd arall i'w ddweud. Roedd yn rhy brysur yn gwylio'r ci yn cerdded yn araf allan o'r ystafell. Wrth iddo ddiflannu, teimlodd ryddhad sydyn a dychwelodd pethau i'w lle. Ond yn rhy hwyr i dawelu Mr Spurgeon.

'Ia, Golding,' aeth yr athro ymlaen. 'Penyd am awr ar ôl ysgol heno.'

'Ond . . . syr?'

'Ia, Dafydd?'

'Mae'n ddrwg iawn gen i, syr.'

'Rhy hwyr!' oedd unig ateb Mr Spurgeon.

Yn hwyr y prynhawn, cerddodd Dafydd yn benisel o'r ysgol wedi gorffen ei benyd. Edrychai'r adeiladau llwyd o'i gwmpas yn aflêr a thywyll dan olau'r haul. Roedd Hockley, un o faestrefi Llundain, wedi'i chodi ar ymylon corsydd mawr y Tafwys, ac er bod y dref ei hun yn lle gwael a llwm, roedd

Dafydd yn caru'r dyfroedd o'i chwmpas a'r tarthau dirgel a godai ohonyn nhw o dro i dro.

Ond y funud yma, ni fedrai werthfawrogi dim. Roedd o bron â llwgu gan fod y penyd wedi parhau mor hir, ac ar ben hynny, roedd ganddo lwyth o waith cartref. Ond yr hyn a'i poenai fwyaf oedd drychiolaeth y ci, y teimlad o fod ar wahân, ac Arthur yn gweiddi arno. Beth oedd o'n trio'i ddweud, tybed?

'Hei!'

Cododd ei ben i weld Siân yn pwyso yn erbyn wal y cae chwarae.

'Be wyt ti'n ei wneud yma?'

'Disgwyl amdanat ti.'

Gwelai fod ganddi lawer mwy i'w ddweud wrtho.

'Dwi wedi gweld y ci eto! I lawr wrth yr hen loches cyrch awyr. Wyddost ti, yr un sy wedi'i gau a'i selio.'

'Ia, wel?'

'Dwi'n meddwl ei fod o eisio i ni ei ddilyn.'

'Dim ffiars!' meddai Dafydd yn bendant.

'Gwelais i o'n sbecian allan o'r hen sièd feiciau. Rhedodd ata i—ac yn ôl i'r sièd wedyn. Ymhen ychydig, mi ddilynais i o at yr hen risiau, a diflannodd o fel mwg trwy'r drysau rhydlyd 'na yn y gwaelod.'

'Diflannu?' Ysgubodd ofn trwyddo eto a gwelodd fod Siân yn bryderus hefyd. 'Wyt ti'n credu yn y ci 'ma?'

'Ydw, siŵr iawn! Rydan ni'n dau wedi'i weld o, yn do?' Swniai'n hollol bositif ond roedd ei llais yn crynu. 'Dwi'n meddwl mai bwgan ydi o.'

'*Bwgan*?' Doedd Dafydd ddim am dderbyn y fath syniad erchyll. O, na! Gwell glynu at rywbeth normal, unrhyw beth oedd yn hollol resymol. Ond yn y pen draw, beth oedd yn rhesymol? Chwyrlïai'r teimladau cymysglyd trwy'i ben, a cheisiodd eu gwthio i ffwrdd. O, am fynd adre i heddwch! Ond unwaith y byddai adre, byddai'n rhaid iddo gysgu rywdro. A beth ddigwyddai pe bai o'n breuddwydio? Teimlodd ei stumog yn dechrau corddi.

'Rhaid mai dyna beth ydi o, os medran ni weld trwyddo fo,' mynnodd Siân, yn apelio ar Dafydd am gefnogaeth.

'Ym . . .'

'Tyrd yn dy flaen! Roedd hi ar dân eisio rhannu'r syniad rhyfeddol hwn efo fo. 'Pam na wnei di dderbyn y peth? Rhaid mai bwgan ydi o.'

'Ocê! Bwgan ydi o.' Unwaith roedd o wedi cyfadde'r peth, teimlai'n well. Ond yn ei ben yn rhywle datganodd llais clir: 'Bwgan? Wnest ti 'rioed goelio mewn bwganod o'r blaen!' Wel, mi roedd o rŵan. Edrychodd ym myw llygaid Siân. 'Arthur. Welest ti o hefyd?'

'Do,' atebodd ei chwaer yn betrusgar. 'Mi welais i o. Roedd o'n gweiddi.'

'O ble?'

'Roedd o'n sefyll ar ben grisiau.'

'Sut rai oedden nhw?'

'Chwyn drostyn nhw.'

'Ac yn graciau i gyd?'

'Oedden. Dwi'n meddwl.' Hoeliodd ei llygaid arno.

'Rwyt ti'n gwybod lle maen nhw, yn dwyt?'

Nodiodd Siân. 'Ydw. Y grisiau sy'n arwain i lawr at yr hen loches cyrch awyr ydyn nhw.'

'Be wnawn ni?' gofynnodd Dafydd. Syllodd y ddau ar ei gilydd gan deimlo'n hollol ddiymadferth. Roedd eu hofn bron â'u gorchfygu. Ond er hynny i gyd, fe wyddent nad oedd ganddyn nhw ddewis.

'Tyrd yn dy flaen,' meddai Dafydd o'r diwedd. 'Fedran ni ddim anwybyddu'r peth ragor. Am ryw reswm, mae hyn ar ein cyfer *ni*!'

Dyna'r peth gwaethaf ynglŷn â'r sefyllfa.

Cerddodd y ddau yn araf heibio cefn y sièd feiciau ac i lawr y grisiau i'r hen dŷ boeler. Yr ochr draw iddo roedd yna fwy o risiau yn mynd i lawr. Roeddent yn graciau i gyd a chwyn yn tyfu drostynt. Safai rhwystr ar drws y stepen gyntaf ac arwydd arno'n dweud:

DISGYBLION DDIM I FENTRO YMHELLACH NA'R TREFYN YMA!

Yn y gwaelod, gwelsant ddau ddrws haearn, yn goch gan rwd. Doedd yna ddim sôn am y ci yn unman.

Ag ochenaid o ryddhad, dechreuodd yr efeilliaid droi a cherdded oddi yno. Ond doedden nhw ddim wedi mynd ymhell cyn i deimlad o oerni dychrynllyd eu taro. Trodd y ddau fel un, i weld y Labrador yn rhedeg yn ddistaw tuag atynt.

2

Arhosodd y ci o'u blaen. Syllodd i fyny arnyn nhw gan chwifio'i gynffon. Yna rhedodd i lawr y grisiau cerrig at ddrysau'r lloches. Ffroenodd o gwmpas gwaelod y drysau haearn am eiliad cyn diflannu'n esmwyth dryddyn nhw. Safodd yr efeilliaid wedi'u syfrdanu cyn ystwyrian ac edrych ar ei gilydd yn amheus.

'Tyrd adre, wir!' ebychodd Siân. 'Ac anghofio am y cwbl.'

'Na,' atebodd Dafydd. 'Fedran ni ddim.'

'Pam?'

'Ddaeth o i'n nôl ni, yndo? Fydd o'n siŵr o wneud yr un peth eto. Ac mae'n ddigon posib mai i'r tŷ y daw o'r tro nesa os na wnawn ni 'i ddilyn o.'

'Yn y nos?'

'Ia, efalla.'

'O-ond i lawr i'r hen loches cyrch awyr 'na?' Rhedodd ias oer i lawr cefn Siân. 'Dydan ni ddim i fynd ymhellach na'r rhwystr. Mae o'n deud yn blaen! A pheth arall, does neb wedi bod i mewn ynddo fo ers blynyddoedd maith. Fydd o'n llawn pryfed cop. Y-ych! Ac ymlusgiaid o bob math. W-ww! A . . . phethau gwaeth!'

Deallodd Dafydd i'r dim beth oedd y 'pethau gwaeth'. Arthur! Ond pa ddewis oedd ganddyn nhw? 'Rhaid i ni beidio â bod mor llwfr,' meddai'n dalog. Ond mewn gwirionedd, teimlai'n annifyr tu hwnt.

'Olreit 'ta!' Safodd Siân yn dalsyth. 'Mi awn ni! Ond bydd yn rhaid i ni gael rhyw fath o olau.'

'Mae gen i dorts yn y bag ar gefn fy meic,' atebodd ei brawd. Daliai i deimlo'n nerfus iawn ynghylch yr holl beth. 'A' i i'w nôl o.'

Pan ddychwelodd Dafydd, roedd Siân wrthi'n gwthio yn erbyn un o'r drysau haearn. Ildiodd yn sydyn dan ei phwysau a sgrechiodd ei waelod danheddog dros y concrid dryllieidig. Neidiodd yn ei hôl am ennyd mewn dychryn, ac yna, yn araf ac yn betrus, syllodd y ddau i mewn i'r düwch.

'Ble mae'r ci tybed?' sibrydodd Dafydd.

'Rhaid ei fod o'n dal i mewn yno.'

'Gwell i ni gychwyn. Does 'na ddim llawer o bŵer ym matri'r torts 'ma. Bydd yn rhaid i ni frysio.'

'Wedi gwneud yn siŵr nad oedd neb wedi'i gweld yn agor y drws, mentrodd yr efeilliaid i mewn. Ond ymhen rhai eiliadau, bu raid iddyn nhw aros. Caeodd tywyllwch llwyr amdanyn nhw, ac ar ben hynny, cododd arogl drewllyd o hen aer caeedig, tebyg i lwydni, i'w ffroenau.

'Ble mae'r torts 'na?' hisiodd Siân.

Chwifiodd Dafydd y pelydr gwelw o gwmpas

ond roedd yn rhyw wan iddyn nhw fedru gweld llawer.

'Dydi honna fawr o iws!' meddai Siân yn wawdlyd.

'Does gynnon ni ddim byd gwell. Aros funud! Bydd hyn yn gweithio weithiau! Rhoddodd ergyd dda i flaen y torts. Dychlamodd y pelydr yn ansicr am rai eiliadau cyn goleuo'n well.

Sgrechiodd Siân yn sydyn. 'O, ddaru rhywbeth fy nghyffwrdd!'

'Taw, wnei di! Byddan ni'n dau mewn trwbl os wnaiff rhywun ein clywed ni.'

'O-ond roedd o'n wlyb ac yn oer!'

'Trwyn y ci oedd o, siŵr iawn!' atebodd Dafydd yn grynedig. 'Dwi'n meddwl ei fod o'n trio dweud rhywbeth wrthyn ni.'

'Be?'

'Neu am ein tywys ni i rywle . . .'

Roedd hynny'n fwy tebygol achos roedd trwyn gwlyb y ci yn ei gymell o ymlaen hefyd erbyn hyn. Fflachiodd y pelydr o'i gwmpas a gweld bod dau dwnnel o'u blaen. 'Ydi'r lloches 'ma'n gylchog, tybed? Hynny yw, bod yr un twnnel yn troi arno'i hun?'

'Dacw gynffon y ci,' sibrydodd Siân yn wan. 'O, mae'r holl beth mor ddychrynllyd!'

'Gad inni wneud be ddwedest ti—mynd adre.' Tro Dafydd oedd hi i deimlo'n llwfr rŵan. Roedd yr arogl yn gwneud iddo deimlo'n sâl.

'Na,' atebodd ei chwaer. 'Gwell i ni ei ddilyn.

Chdi sy'n iawn. Os na wnawn ni, chawn ni ddim llonydd ganddo.'

Cerddodd y ddau'n grynedig i mewn i'r twnnel ar y dde. Goleuodd pelydryn y torts hen focsys mawr pren, darnau o feiciau, a pheiriant gwnïo. Ond ni welsant y twmpath teiars modur nes iddyn nhw faglu drostynt.

'Digon hawdd i'r ci 'na,' grwgnachodd Dafydd yn chwerw. 'Mae o'n medru toddi trwy popeth yn hawdd. Fedran ni ddim!'

Dechreuodd y twnnel fynd ar i lawr, ac wrth iddo wneud, gwaethygodd yr arogl—ryw gymysgedd o bridd llaith a rhywbeth yn pydru. Beth oedd yn pydru? meddyliodd Siân. Gwibiodd pob math o ddrychfeddyliau atgas trwy'i meddwl. Hen ddillad? Cyrff llygod? Neu gyrff rhywbeth gwaeth? Pobl? Brwydrodd i reoli ei phanig a chamodd yn ei blaen yn araf gan deimlo'i ffordd ar hyd wal y twnnel, ond pan gyffyrddodd â rhywbeth blewog, meddal, byw, sgrechiodd ar dop ei llais. Atseiniodd y sŵn drwy'r twnnel.

'Dim ond ystlym ydi o,' ceisiodd Dafydd ei chysuro. 'Yli, mae 'na ddwsinau ohonyn nhw.'

Anelodd golau'r torts at y to. Ymysg gweau hir pryfed cop, crogai rhesi ar ben rhesi o ystlymod. Crogent o'r to, ben ucha'n isa, yn un pentwr blewog, llwyd. Symudai eu hadenydd o dro i dro.

'Paid â thaflu golau arnyn nhw,' erfyniodd Siân yn frysiog, 'rhag cynhyrfu mwy ohonyn nhw.'

23

Crynodd corff Dafydd wrth feddwl am un o'r creaduriaid bach blewog, yn cripian ar draws ei foch. Be tase un yn gwneud hynny? Yn sydyn, taerai iddo deimlo un ar ei ysgwydd. Gwaeddodd yn groch dros bob man.

'Bydd ddistaw!' erfyniodd Siân eto. 'Neu bydd rhywun yn dy glywed di o'r tu allan.'

'Fedrwn i ddim peidio!' protestiodd Dafydd. 'Fel ti! Fedrat titha ddim peidio gweiddi, chwaith!'

'Gwell i ni gadw i fynd. Oes 'na ddiwedd i'r twnnel 'ma, dwed?'

'Mae 'na feinciau wedi'u gosod ar hyd y waliau 'ma,' meddai Dafydd. 'Efalla mai yma roedd pawb yn eistedd adeg rhyfel, yn gwrando ar y bomiau'n disgyn y tu allan.'

Ar y gair, rhedodd anferth o bry cop mawr du ar hyd un o'r meinciau. Symudodd Dafydd y golau i ffwrdd oddi wrtho ar frys, a phrysurodd y ddau yn eu blaen.

'Dwi'n meddwl bod y twnnel yn lledu,' sylwodd Dafydd, 'ac mi fedra i weld y ci.'

'Be mae o'n 'i wneud?'

'Tyllu, dwi'n meddwl, neu'n tynnu ar rywbeth.'

'Brysia, wnei di?' meddai Siân. 'Dwi'n siŵr bod batri'r torts 'na ar fin darfod.'

Roedd y pelydr yn gwanhau, ond erbyn hyn roedden nhw wedi cyrraedd diwedd y twnnel ac yn sefyll mewn rhyw fath o ystafell eang. Roedd y to yn cael ei ddal i fyny gan amryw o bolion yma ac acw, ac yn y golau gwan, gwelsant fod

Dafydd yn iawn. Roedd y twnnel yn dyblu'n ôl arno'i hun at y cychwyn. Roedd yna fwy o feinciau yma, a hen gadeiriau'n gorwedd hwp di hap o gwmpas y llawr. Roedd yna hefyd fyrddau wedi torri, a gweddillion hen biano. Tua'r cefn, safai twmpath mawr o fagiau tywod, bwrdd marmor tolciog, rhai cypyrddau metel, a dau ddrwm dur anferth.

'I gadw dŵr yfed, tybed?' dyfalodd Dafydd.

Roedd y Labrador yn ffroeni'r bagiau tywod. Yn sydyn trodd i gyfarth yn gynhyrfus arnyn nhw, ond roedd golau'r torts yn darfod yn gyflym. Gwyddai'r efeilliaid bod yn rhaid iddyn nhw ddychwelyd ar unwaith cyn iddo ddiffodd.

Unwaith y deallodd y ci eu bod nhw ar fin gadael, chwyrnodd arnyn nhw, gan ysgyrnygu a dangos ei ddannedd.

'Dos o'r ffordd!' gwaeddodd Dafydd, wedi gwylltio.

Ond ni symudodd y Labrador. Chwyrnodd yn ddwfn a bygythiol yn ei wddf.

'Dos o'r ffordd!'

'Mae o eisio dangos rhywbeth i ni.'

'Ydi, dwi'n gwybod,' atebodd Dafydd, 'ond allwn ni mo'i weld o.'

Erbyn hyn, dim ond mymryn bach o olau oedd ar ôl.

'Beth am redeg 'nôl?' cynigiodd Dafydd. 'Paid â bod ofn. Wnaiff o ddim byd i ni. Dim ond ysbryd ydi o, wedi'r cyfan.'

Gwthiodd y ddau trwy gorff tryloyw y ci. Teimlai'n union fel ymladd eu ffordd drwy fynydd iâ, a hwnnw'n rhynllydd o oer. Neidiodd y ci ar eu holau.

'I lawr y twnnel arall!' gwaeddodd Dafydd. 'Nerth dy draed!'

Doedd wiw meddwl am y tywyllwch yn bygwth cau amdanyn nhw. Hyd yma, roedd yna ddigon o olau i ddangos y lleithder gwyrdd ar y waliau wrth iddyn nhw fynd heibio.

Rhedodd y ddau ymlaen ac ymlaen, nes iddynt gyrraedd man lle'r oedd yna gymaint o sbwriel a rwbel dan draed, roedd hi bron yn amhosibl dringo drostynt. Ac i wneud pethau'n waeth, chwyrnai'r ci yn filain wrth eu sodlau.

'Paid â gwthio!' Roedd Dafydd yn ceisio stryffaglu dros hen fatres yn y tywyllwch. Roedd ei sbringiau pigog, niferus, yn gwneud eu gorau i ddryllio'i draed.

'Roedd y ci am ddangos rhywbeth i ni,' meddai Siân yn fyr ei gwynt. 'Dwi'n siŵr o hynny!'

'Dwi'n gwybod,' cytunodd Dafydd yn ddigalon. 'Ond mae'n rhaid i ni fynd allan cyn i'r batri ddarfod.'

Ar y gair, diffoddodd y golau'n gyfan gwbl.

3

Amgylchynwyd Dafydd a Siân gan dywyllwch dudew, ac udodd y ci'n alarus y tu ôl iddyn nhw. Safodd y ddau yn eu hunfan gan deimlo'r distawrwydd yn cripian drostynt fel blanced meddal yn llawn o bryfed cop.

Gwichiodd Dafydd mewn braw. 'Cyffyrddodd rhywbeth â 'nhroed i!' ebychodd yn groch. 'Rhywbeth blewog. Llygoden fawr dwi'n meddwl.'

'Rho gynnig ar y torts 'na eto?'

'Na, mae'n hollol farw.' Gwasgodd y swits dro ar ôl tro, ond doedd yna ddim llygedyn o olau. 'Rhaid inni ddibynnu ar lwc o hyn ymlaen. Dylai'r fynedfa ddim fod ymhell.'

'Ydan ni yn y twnnel iawn, ti'n meddwl?' Roedd llais Siân yn llawn panig. Crynodd.

'Be sy?'

'Disgynnodd rhywbeth ar fy ngwallt i!' Igiodd mewn anobaith. 'Ac roedd o'n rhedeg! Fedra i ddim diodde hyn! Beth os yw'r twnnel 'ma'n mynd i gyfeiriad hollol wahanol?'

'I ble felly?'

'Wn i ddim . . .'

'I ble?' mynnodd eildro.

'Cau hi, wnei di, Dafydd!'

'Wel . . . gafael yn fy nghrys-T a symudan ni efo'n gilydd.'

Yr eiliad nesaf, teimlodd y ddau y Labrador yn gwthio'i ffordd trwyddynt. Am unwaith, cynigiau ei bresenoldeb rywfaint o gysur iddynt.

'Wnaiff o'n tywys ni allan, tybed?' gofynnodd Siân yn obeithiol.

'Na, dwi'n meddwl ei fod o'n rhedeg i ffwrdd,' oedd ateb pesimistaidd ei brawd.

Ond doedd o ddim. Arhosodd y ci rai metrau o'u blaen, gan droi i gyfarth bob hyn a hyn. Stryffaglodd yr efeilliaid ymlaen trwy'r tywyllwch, dros ail fatres, rhywbeth a deimlai fel tandem, cist neu gwpwrdd, ac amryw o bethau anhysbys eraill. Ymhen hir a hwyr, cawsent eu hunain nid nepell o'r drysau i'r tu allan. Roedd un drws yn dal i fod yn hanner agored, a llewyrchai goleuni haul yr hwyr drwyddo, yn olygfa hyfryd ar ôl eu siwrne annifyr trwy'r tywyllwch.

Yn sydyn, camodd cysgod du ar draws y golau ac i mewn i'r twnnel. Safodd yr efeilliaid fel delwau. Roedden nhw wedi eu dal! Os mai Len, gofalydd yr ysgol, oedd o, roedd hi ar ben arnyn nhw. Byddai Len yn lloerig efo unrhyw un a feiddiai dresbasu yn yr hen loches. Fel y dylai fod, wrth gwrs. Doedd plant ddim i fod yn y fath le.

Ond nid Len oedd o. Roedd hwn wedi'i wisgo mewn dillad anghyfarwydd ac od. Er bod haul cynnes yn dal i lewyrchu'n braf drwy'r drws, trodd awyrgylch y lle yn rhewllyd a oer yn sydyn.

Neidiodd y ci at y dieithryn gan gyfarth. Plygodd hwnnw i lawr ar ei liniau ac agor ei freichiau'n llydan i dderbyn y Labrador. Edrychai'n ddyn mawr a mwstás trwchus du ganddo, siwt a sglein arni, a het trilbi ar ei ben. Tra oedd y ddau'n cofleidio'i gilydd, cynyddodd yr oerni gymaint nes fferru esgyrn yr efeilliaid a'i gwneud hi'n anodd anadlu.

'Arthur! Dyna pwy ydi o!' sibrydodd Dafydd. 'Wyt ti ddim yn 'i nabod o oddi wrth ei lun?'

'Ydw,' atebodd Siân. 'Ond be mae o'n 'i wneud yma?'

Cododd Arthur ar ei draed, ymestyn, edrych yn syth trwyddyn nhw, a chwibanu ar y ci i'w ddilyn i lawr y twnnel. Aeth heibio i Dafydd a Siân heb gymryd gronyn o sylw ohonyn nhw. Yn raddol, wrth iddo ddiflannu ymhell i'r tywyllwch, fe chwalodd yr oerni ofnadwy, a theimlodd yr efeilliaid wres yr haul unwaith eto.

Safodd y ddau y tu allan i ddrysau'r lloches yn teimlo'n grynedig ac ansicr. Roedd cyfarfod y Labrador wedi bod yn brofiad digon arswydus, ond medrai'r ci fod yn gyfeillgar weithiau. Roedd cyfarfod ysbryd Arthur yn rhywbeth hollol wahanol. Roedd rhyw awra bygythiol yn ei gylch a'i gwnâi hi'n anodd i'r plant gofio bod ochr dda iddo. Wedi'r cwbl, roedd wedi cyfrannu cryn dipyn o arian i'r Lloches Anifeiliaid flynyddoedd yn ôl. Ond beth oedd arno'i eisiau efo nhw? A beth oedd y ci am ei ddangos iddyn nhw?

'Dim ond y ci sy'n ein gweld ni!' datganodd Dafydd. 'Dydi Arthur ddim!'

'Ond sut? Wyddwn i ddim bod cŵn marw'n seicig.'

'Dydyn nhw ddim,' meddai Dafydd. 'Cyn belled ag y gwn i. Mi rydan ni'n 'i weld o am ryw reswm. Ac mae'r rheswm yna'n rhywbeth i'w wneud â man pellaf y lloches, lawr ger y bagiau tywod. Mae'r ci wedi dod yn ôl o'r gorffennol i ddangos rhywbeth i ni a dwi'n siŵr ei fod yn gysylltiedig ag Arthur rywsut.

'Wyt ti'n gwybod sut bu o farw?' gofynnodd Siân.

'Dim syniad. Y cwbl glywais i oedd ei fod o wedi marw tua diwedd yr Ail Ryfed Byd. Bydd Mam a Dad yn siŵr o wybod.'

'Efallai,' meddai Siân yn anscir. 'Ond wnawn nhw ddweud wrthyn ni?'

'Pam lai?' meddai Dafydd yn ddiamynedd. 'Oes ganddyn nhw rywbeth i'w guddio?'

'Troseddwr oedd o, yntê?'

'Ia, wel?'

'Efalla 'i fod o wedi marw wrth gyflawni trosedd.'

Edrychodd Siân o'i chwmpas yn ofalus cyn mynd ati i wthio'r drws ynghau â theimlad mawr o ryddhad. Ond gwyddai yn ei chalon mai dim

ond seibiant dros dro oedd hyn. Doedd y twneli
du yr ochr arall i'r drws ddim wedi gorffen efo
nhw eto.

Wedi cyrraedd adre, roedd eu mam yn wallgof
bod Dafydd wedi gorfod aros ar ôl ysgol i wneud
penyd.

'Dim fy mai i oedd o, Mam!' protestiodd
Dafydd, gan wybod na fedrai ddweud wrthi hi
na'i dad am y ci ac Arthur. Buasen nhw'n bownd
o feddwl ei fod o'n dechrau drysu.

Roedd Mrs Golding yn ddynes a siaradai yn
blwmp ac yn blaen bob amser. Gweithiai mewn
swyddfa gwerthu tai, ac er nad oedd hi'n hoff
iawn o'r gwaith, fe'i gwnâi yn effeithiol dros ben.
Câi hyd i amser, hefyd, ar ben popeth arall, i
helpu'i gŵr gyda'r fusnes adeiladu a oedd yn
dioddef cyfnod llwm iawn. Roedd y teulu'n byw
ar stad o dai yn Hockley.

'Fe ddywedodd Mr Spurgeon dy fod di wedi
syrthio i gysgu yn y dosbarth.'

'Wedi blino roeddwn i, Mam.'

'Ia, a dwi'n gwybod pam! Gwylio'r teledu tan
oriau mân y bore! Os digwydd yr un peth eto, mi
fydda i'n mynd â'r set 'na o dy lofft di.
Camgymeriad oedd ei rhoi hi yno yn y lle cynta.
Arhosa di nes daw dy dad adre . . .'

Roedd hi wedi gwylltio cymaint wrth baratoi'r
pryd bwyd, fel yr ofnai Dafydd weld ei ffa ar dost
yn gwibio heibio'i glustiau.

'Mam . . .?' Gwyddai Siân nad oedd y foment honno yn un rhy dda i ofyn cwestiwn am Arthur, ond gyrrai ei chwilfrydedd hi ymlaen.

'Wyddoch chi'r prosiect 'na ar deuluoedd rydan ni wedi cychwyn arno yn yr ysgol?'

'Wel?'

'Be taswn i'n ysgrifennu am eich Hen Ewythr Arthur?'

'*Be*?' Arhosodd ei mam yn stond a'r gyllell fara yn ei llaw. '*Be* ddywedaist ti?'

'Dwi eisio ysgrifennu am Arthur,' meddai Siân eto.

'Wyt ti wedi drysu?'

'Dim ond meddwl roeddwn i . . .'

'Y troseddwr felltith yna?'

'Ond mi roedd o'n hen ewythr i chi, Mam,' meddai Dafydd yn ddiniwed. Gwgodd Siân arno.

'Yn union! Dyna pam mae'n rhaid i ni gadw'n ddistaw am y peth. Wyt ti'n meddwl fy mod i'n falch ohono? Neu fy mod i eisio iddo fod yn destun prosiect ar *deuluoedd*?' Arhosodd am ennyd a'r tebot yn ei llaw. 'Cofia—doedd o ddim yn ddrwg i gyd, chwaith.' Meddalodd yr olwg ar ei hwyneb. 'Mi *roedd* o'n droseddwr, wrth gwrs, ac fe ddygodd symiau mawr o bres. Ond rhoddodd y rhan fwyaf i ffwrdd. A phan ollyngwyd o o'r carchar, fe aeth ati i adeiladu busnes reit dda iddo fo'i hun.'

'Sut fath o fusnes?'

'Pysgod. Pysgod ffres. Roedd ganddo siop a

fan fach. Âi lawr i Whitstable i brynu'r pysgod yn syth o'r cychod. Ar ôl ychydig, gwerthodd y busnes a'r fan, am elw da, ac fe roddodd y cwbl i'r Lloches Anifeiliaid.' Gwenodd wrth gofio. 'Mi roedd o'n caru anifeiliaid—yn enwedig cŵn. Byddai ganddo'r un math o Labrador bob amser, a phob un yn cael yr enw Byrt. Ac roedd o'n garedig iawn i Mam—bob amser yn rhoi pres poced iddi. Allai o ddim ymuno â'r Lluoedd Arfog, na gwneud unrhyw waith trwm, am fod ganddo galon wan, felly câi ei blesio'i hun ynglŷn â'r waith a wnâi yn ystod y rhyfel, a sut yr enillai ei bres.' Daliai Mrs Golding i wenu, a gafael yn y tebot 'run pryd, wrth iddi gofio heb straeon ei mam am Arthur. Wrth gwrs bu raid i Dafydd ddifethai'i thymer dda.

'Lle cafodd o'r pres i gychwyn y busnes, tybed?' gofynnodd.

'Am be wyt ti'n sôn?' Roedd hi'n amlwg bod meddwl ei fam yn bell yn y gorffennol. Gobeithiai Siân nad oedd hi wedi anghofio am y tebot yn ei llaw.

'Fuo fo'n briod o gwbl?' gofynnodd.

Gwgodd ei mam. Doedd hi ddim yn hoffi'r cwestiwn. 'Do, am gyfnod. Ond doedd o ddim yn ffyddlon . . . dim ond i'w gŵn. Ac wrth gwrs, bu farw'n weddol ieuanc,' meddai, fel pe bai hynny'n ddiwedd ar y peth. .

'Sut ddaru o farw?' gofynnodd Siân wedyn. Dyma'r cwestiwn pwysicaf o'r cwbl. 'Ei galon?'

Petrusodd ei mam am rai eiliadau. 'Wel, a dweud y giwr, mi fuo fo farw yn yr hen loches cyrch awyr yn eich ysgol chi.'

'Rargian!' ebychodd Dafydd. 'Pam na ddywedoch chi hyn wrthyn ni o'r blaen?'

'Doeddwn i ddim eisio sôn am y peth rhag eich dychryn. Biti garw na fuasen nhw'n chwalu'r hen loches 'na. Mae hi mor beryglus i blant, wedi'i bordio i fyny fel'na. Cofiwch chi'ch dau,' rhythodd yn filain arnyn nhw, 'nad oes blaen eich troed yn mynd yn agos i'r lle . . .'

'Wnawn ni ddim,' meddai Dafydd ar unwaith, 'a chawn ni ddim mynd yn agos ato gan yr ysgol. Beth bynnag, mae gen i ofn y tywyllwch.'

'O?' meddai ei fam. 'Ers pryd?'

Gwingodd Siân. Doedd o 'rioed am ollwng y gath o'r cwd?

'Dwi ddim yn siŵr,' atebodd Dafydd yn ffwdanus. 'Dwi'n teimlo felly ers tro. Wn i ddim pam . . .'

Torrodd Siân ar ei draws yn frysiog. 'Ddaru chi ddeud bod Arthur wedi marw yn y lloches. Oedd 'na gyrch awyr yn mynd ymlaen ar y pryd?'

'Na . . .' Petrusodd ei mam am eiliad. Gwyddai na fyddai ei phlant yn fodlon nes iddyn nhw gael yr hanes i gyd. 'Fe gawson nhw hyd iddo i mewn yn y lloches,' aeth ymlaen, 'wedi marw o drawiad ar y galon. Tua diwedd y rhyfel, dwi'n meddwl. Roedd y ci efo fo . . . Byrt . . . wel, un ohonyn nhw, beth bynnag.'

'Dyna ofnadwy!' meddai Siân.

'Ia!' ochneidiodd Mrs Golding. 'Roedd Mam yn hoff iawn o'i hewythr. Ond roedd o wedi dechrau troseddu eto.' Arhosodd, gan edrych ar ei merch. 'Gwranda arna i, Siân. Rhaid i ti addo i mi na wnei di ysgrifennu amdano. Dwi ddim eisio i ti wneud. Unrhyw aelod arall o'r teulu ond y fo! Iawn?'

'Dwi'n addo, Mam.'

Winciodd ar Dafydd wrth i'w mam droi'n ôl at y stof. Roedd yr holl stori ganddyn nhw bellach. Ond beth oedd ystyr y cwbl? Tybed a ddychwelai'r bwganod o'r gorffennol eto? Roedd hi wedi gweddïo na ddeuai Arthur, na'i gi, i aflonyddu arnyn nhw byth mwy, ond roedden nhw'n siŵr o wneud. Doedd dim byd mwy sicr! Ac fe wyddai fod Dafydd o'r un farn.

'Na!' meddai Elsie Styles. 'Chei di ddim mwy o sglodion!'

Safai Dafydd a'i ffrind, Tom, wrth gownter y cantîn.

'Plîs!' erfyniodd Tom. 'Prin y medra i weld y rhain ar fy mhlât.'

'Ac mi fedra i gyfri'r sglodion sy gen i ar fysedd un llaw!' cwynodd Dafydd. 'Fyddan ni'n dau'n llwgu i farwolaeth.'

Plannodd Elsie ei dwylo ar ei chluniau anferth gan rythu arnyn nhw. Safai ei gwallt arlliw yn bigau o gylch ei phen. Siglodd a chrynodd ei thagellau lluosog yn filain. Roedd hi'n dipyn o gymeriad, ac yn ffefryn gan y plant, ond roedd ganddi dymer hefyd.

'Nawr gwrandwch, chi'ch dau. Rydan ni'n cynilo!'

'Ers pa bryd?' gofynnodd Tom. Roedd o'n fychan a chadarn, ac eisoes wedi cael gorchymyn gan ei fam i beidio bwyta sglodion, ond i ddewis bwyd iach. Ond roedd yn llawer gwell gan Tom sglodion na bwyd cwningen, felly roedd yn benderfynol o ddal ati.

'Dowch, wir, Elsie. Rhowch ddwbl ar fy mhlât i. Bydda i'n ffrind i chi am byth!'

Teimlai Dafydd braidd yn flin. Mi fedrai Tom swyno unrhyw ferch heb fawr o drafferth.

'Mae disgo yn yr ysgol heno, Elsie. Ydach chi'n mynd? Efalla cawn ni ddawns neu ddwy. Gawn ni amser grêt! Ond bydd yn rhaid i mi borthi fy hun efo sglodion gynta.'

Gwenodd Elsie yn sydyn. 'Y fi sy'n gweini'r bwyd heno . . . fel pob amser. Welwch chi mo fi ar y llawr!'

''Dach chi eisio bet?'

'Brysia, wnei di!' meddai Tracy-Ann y tu ôl iddo. 'Be wyt ti'n 'i wneud? Trio cael dêt efo Elsie?'

'Wel . . . ia,' atebodd Tom. 'Dowch, Elsie. Ffafr?'

'Ffwrdd â chi!' meddai hithau gan daro llwyth o sglodion ar eu platiau. 'A llai o'r geg fawr 'na!'

Wrth iddi daro'r sglodion olaf ar ei blât, teimlodd Dafydd gwmwl mawr o oerni yn rhuthro'n gyflym tuag ato. Ni welai ddim, ond fe wyddai'n union beth oedd o—Byrt! Dechreuodd ei galon garlamu a'i geg sychu'n grimp. Roedd y syniad o fwyta'r sglodion yn ddigon i droi'i stumog. Edrychodd o gylch yr ystafell a gwelodd Siân yn eistedd yn ymyl. Syllai'n syth o'i blaen fel pe bai wedi'i syfrdanu, ac edrychai ei ffrindiau arni mewn penbleth.

Gwyddai Dafydd ar unwaith ei bod hithau wedi

synhwyro presenoldeb y ci. Crynodd. Unwaith eto, cafodd y teimlad annifyr o arwahanrwydd, a'i fod yn gwylio popeth o bell.

Torrodd sgrech sydyn ar draws y sgwrsio swnllyd yn y cantîn. Roedd gan Elsie bartner y tu ôl i'r cownter, dynes bach mewn oed o'r enw Wini. Hi oedd yn sgrechian a sgrechian.

I ddechrau, doedd gan neb lawer o syniad pam roedd hi'n sgrechian, ond yna gwelodd Dafydd Byrt y ci a rhes o sosejis yn crogi o'i geg. Roedd y ci-bwgan un ai'n wirioneddol newynog, neu'n gallu cofio sut deimlad oedd bod yn newynog.

'Ylwch y sosejis 'na!' meddai Tracy-Ann. 'Maen nhw'n hofran yn yr awyr.'

'Aer poeth yn codi. Dyna'r achos!' meddai Siôn a safai yn ei hymyl. Ei uchelgais oedd bod yn wyddonydd ryw ddiwrnod. 'Neu rywbeth tebyg!' ychwanegodd yn frysiog rhag ofn i rywun ddechrau'i holi.

'Dacw bastai gig yn mynd hefyd!' meddai Tracy-Ann eto, ac ar y gair, cafodd Wini ffit o sterics y tu ôl i'r cownter.

'Hwrê!' gwaeddodd grŵp o fechgyn. Ond roedden nhw'n edrych braidd yn nerfus wrth wylio'r bastai'n chwyrlïo o gwmpas yr ystafell cyn ymuno â'r sosejis a oedd erbyn hyn yn llithro ar hyd y llawr.

'Mae 'na ddônyt yn mynd rŵan!' ebychodd Tom yn groch, a golwg ofnus ar ei wyneb. Cododd un dônyt ar ôl y llall o'r cownter nes i Mr

Spurgeon gyrraedd. Disgynnodd distawrwydd llethol.

Llygadodd Mr Spurgeon yr olygfa anhygoel, ei ên bron â chyffwrdd ei frest mewn sioc. Syllodd ar y plant yn gyhuddgar cyn poeri'n wyllt, 'Pwy sy'n gyfrifol am y difrod yma? Rhaid i chi gyfadde! Pa fath o driciau twp sy'n cael eu chwarae yma? Wn i ddim sut y digwyddodd y peth, ond . . .' Tawelodd ar hanner brawddeg, a syllodd pawb yn syn ar y dônyt olaf yn codi o'r cownter ac yn gwibio'n syth am Mr Spurgeon. Glaniodd wrth ei droed a chwistrellu jam dros y llawr.

'P-pwy wnaeth hyn?' ebychodd yr athro mewn dryswch. 'Pwy sy'n gyfrifol? Chi, Henderson?'

Rhythodd yn gas ar fachgen a eisteddai wrth fwrdd yn ei ymyl, ac a oedd yn rowlio chwerthin. Efallai ei fod o'n cael ffit o sterics fel Wini, meddyliodd Siân. Syfrdanwyd y rhan fwyaf o'r plant gymaint fel na fedren nhw ddweud llawer. Ond roedd Dwgi Henderson, fel un neu ddau arall, wedi colli pob rheolaeth arno'i hun.

'Dydi o'n ddim byd i'w wneud â mi, syr,' protestiodd Dwgi o'r diwedd, wedi adennill ei wynt. Ond edrychai'n euog a dechreuodd Mr Spurgeon gamu i'w gyfeiriad.

'Llai o'r chwerthin afreolus 'na! Os ca i wybod mai chi sy wrthi . . .'

Anghofiodd fod yna lyn jam coch ar y llawr. Llithrodd ynddo, a chwifiodd ei freichiau'n wyllt wrth iddo geisio aros ar ei draed. Ond llithrodd eto a disgyn yn ei hyd ar y llawr efo coblyn o sŵn. Gorweddodd yno'n griddfan wrth i sgrechiadau Wini fynd yn uwch ac yn uwch.

Roedd jam mefus dros frest a dwylo Mr Spurgeon, a phan geisiodd godi'n grynedig, edrychai'n union fel pe bai'n diferu o waed coch. Gwireddwyd ofnau Wini, a bu raid i Elsie ei hebrwng o'r cantîn.

'Mi rydw i'n mynd yn syth at y prifathro,' gwaeddodd Mr Spurgeon yn filain, i gychwyn ymchwiliad!' Caiff pwy bynnag sy'n gyfrifol am hyn ei wahardd o'r disgo.'

Wrth iddo wegian yn sigledig at y drws, trotiodd Byrt draw i eistedd wrth ochr Siân. Brysiodd Dafydd i'w hamddiffyn. Teimlai'n hynod o ofnus. Os gallai Byrt greu'r fath ddifrod, rhaid ei fod o'n bwerus iawn. Ac os oedd o mor bwerus â hynny, pa siawns oedd gan Siân ac yntau i'w wrthwynebu?

Dechreuodd yr oerni gilio unwaith eto. Gwelodd amlinelliad y ci-bwgan yn pylu. Pam roedd o wedi dod i'r cantîn o gwbl? I ddangos ei nerth a'i awdurdod? Eu rhybuddio nhw i ufuddhau iddo? Suddodd calon Dafydd. Dyna oedd y gwir cas, yntê?

5

Yn neuadd yr ysgol y noson honno, tarannai miwsig metel trwm allan o'r system sain. Crogai baneri bratiog o furiau a nenfwd y neuadd, ac ar y llwyfan, safai tomen o offer disgo wedi'u pentyrru ar ben ei gilydd. Roedd y llawr yn orlawn o blant yn dawnsio'n wyllt i'r gerddoriaeth, ac ambell un yn cymryd mwy na'i siâr o le wrth ei ddangos ei hun i'w ffrindiau.

Yma ac acw ar hyd ymylon y neuadd, safai amryw o athrawon yn cadw llygad barcud ar y sefyllfa, yn effro i unrhyw arwydd o drwbl, ac roedd y prifathro, Mr Decker, yn peri embaras i bawb drwy ddawnsio jeif henffasiwn gydag Angela Horrocks, yr athrawes Addysg Gorfforol. Roedd hi'n noson ddisgo gwbl nodweddiadol o'r ysgol.

Yn ystod y prynhawn, roedd Mr Decker wedi rhoi araith i'r holl ysgol am y digwyddiad yn y cantîn. Doedd o ddim yn siŵr beth oedd wedi achosi i'r bwyd hedfan o gwmpas, ond roedd ymchwiliad yn cael ei gynnal.

Chafodd Dafydd a Siân fawr o gyfle i drafod y mater gyda'i gilydd gan eu bod wedi mynd adre

41

ar wahân yng nghwmni ffrindiau eraill. Ac wedyn, dros y bwrdd te, cawsant ddarlith hir gan eu mam ynglŷn â sut i fyhafio yn y disgo, a gorchymyn i fod yn barod ar unwaith pen ddeuai eu tad i'w nôl. Fo a'u hebryngodd i'r ysgol a chawsant ddarlith arall yr holl ffordd yno.

Gwisgai Dafydd ei jîns gorau a siwmper llac, a Siân ei sgert fini a thop tyn. Roedden nhw wedi bod yn edrych ymlaen at y disgo ers amser, ac ar unrhyw adeg arall, fe fydden nhw wedi bod wrth eu bodd, ond ar ôl i fwganod Byrt ac Arthur ymddangos iddyn nhw, ymddangosai popeth arall yn ddibwys iawn.

'Rhaid i ni gael gwybod be mae Byrt eisio,' meddai Siân, 'a pham nad oes neb arall yn ei weld o.'

'A pham y dewisodd o ni yn y lle cynta!' cwynodd Dafydd.

'Am ein bod ni'n perthyn i'r un teulu,' atebodd Siân. 'Mae'n rhaid mai mater teuluol ydi o.'

Peidiodd y dawnsio wrth i'r prifathro ddringo i'r llwyfan yn gwisgo siaced felfed, trowser tyn, a thei bô coch a fygythai oleuo a throi fel chwrligwgan. Roedd o'n meddwl ei fod o'n trendi iawn. Gwenodd yn nawddogal gan blethu a gwasgu ei ddwylo fel y gwnâi bob tro y siaradai'n gyhoeddus.

'Foneddigion, boneddigesau, a phlant. Fel y gwyddoch, mae holl elw'r disgo—a'r raffl—yn mynd tuag at gronfa'r Lloches Anifeiliaid a sefydlwyd mor bell yn ôl â 1935, ac sy'n dal i fynd hyd heddiw. Mae'r Lloches yn gwneud gwaith gwych, ond yn anffodus, mae'r pres i'w chynnal yn prinhau ac mae mewn peryg o gael ei chau. Os digwydd hynny, mi fydd yn siom i ni i gyd ar ôl yr holl gefnogaeth mae'r ysgol hon wedi'i rhoi iddi. Ac mi fydd hi'n sefyllfa drist hefyd i'r anifeiliaid mae'r Lloches yn eu helpu. Ga i gyflwyno i chi Gillian Cole, cyfarwyddwr y Lloches.' Bowiodd yn gwrtais wrth iddi ddringo i'r llwyfan i gyfeiliant cymeradwyaeth gynnil.

Roedd Gillian Cole yn ddynes ieuanc a di-lol a wnâi i Mr Decker ymddangos yn anesmwyth.

'Maddeuwch i mi am dorri ar draws eich disgo fel hyn, ond mae'n rhaid i mi bwysleisio pa mor anobeithiol rydan ni i gyd yn teimlo yn y Lloches ar y foment. Dim ond digon o arian i barhau am bythefnos arall sy ganddon ni. Mae'r rhan fwyaf ohonoch chi'n gwybod lle mae'r Lloches—ar safle'r hen depo bysiau. Dydi o fawr o le i edrych arno, ond rydan ni wedi achub nifer sylweddol o anifeiliaid yn ddiweddar, ac os na fedran ni dalu'r rhent, bydd yn rhaid difa llawer o'r rhain.

'Ar hyn o bryd, mae ganddon ni bedwar mul, pum gafr, a thorllwyth o foch bach. Ac mae'r rhain yn ychwanegol at yr anifeiliaid dof arferol sy un ai wedi eu hesgeuluso, neu wedi'u gadael gan eu teuluoedd. Ddydd Llun diwethaf, achubwyd pâr o gwningod oedd bron â llwgu i farwolaeth. Ddydd

Mawrth, cafwyd hyd i Labrador bach digartref yn crwydro'r strydoedd—ci bach hardd iawn. Felly, plîs, bawb, rhowch gymaint ag y medrwch! Achubwch y Lloches! Cadwch yr anifeiliaid rhag cael eu difa! Diolch! Diolch yn fawr!'

Camodd y prifathro ymlaen cyn iddi dderbyn gormod o gymeradwyaeth.

'Dwi'n siŵr y bydd pawb yn rhoi yn hael iawn. Mae gan yr ysgol yma, dwi'n falch o ddweud, enw da am . . .'

'O, dwi'n teimlo'n oer!' cwynodd Siân dan ei gwynt wrth i Mr Decker rygnu ymlaen. 'Yn wirioneddol oer! Dwi'n m-meddwl bod rhywbeth am ddigwydd.'

'Ydi, mae o!' sibrydodd Dafydd yn ôl. 'A dwi'n gwybod pam! Mae'r ci yn ei ôl!'

Gwelai Byrt y ci yn sefyll hanner i mewn a hanner allan o ddrws y neuadd. Diflannodd am eiliad—ac yna daeth yn ôl.

'Ydi o eisio i ni ei ddilyn, tybed?' Swniai Siân yn ansicr.

'Roeddwn i'n hanner disgwyl i rywbeth fel hyn ddigwydd,' meddai Dafydd, ac yna gwnaeth benderfyniad sydyn. 'Tyd, gwell inni fynd.'

'Rŵan?'

'Ia! Rŵan!'

Cwynfanodd y seiren cyrch awyr yn ddistaw i ddechrau, ac yna'n llawer uwch. Meddyliodd Siân am un munud dryslyd, mai o'r disgo y deuai'r sŵn—rhyw sŵn newydd nad oedd hi erioed wedi'i glywed o'r blaen. A'r tu allan yn rhywle, clywodd gloch yn clecian yn swnllyd wrth yrru heibio. Yna rhuthrodd warden a helmed ar ei ben i mewn i'r neuadd yn ffwdanus.

Pylodd cyrff y dawnswyr o flaen ei llygaid. Aethant yn fwy a mwy tryloyw wrth i oerni annioddefol ledaenu trwy'i chorff. Roedd yn waeth o lawer na'r tro cynt. Teimlai fel pe bai'r gorffennol yn ei llyncu'n gyfan gwbl.

'Dafydd!' Ni fedrai weld ei hefell. 'DAFYDD!' galwodd eto gan droi yma ac acw yn ei phanig.

'Dwi yma.'

'Ble?'

'Yma, Siân. Ond ble wyt ti? Fedra i weld dim.'

Llanwyd ef ag ofn. Teimlai fel plentyn bach yn galw allan yn y nos, yn llawn ofnau dienw. Roedd yntau wedi gweld y warden yno ac wedyn y dawnswyr yn gwywo ac yn troi'n ansylweddol. Yn union fel Byrt! Dawnsiai cysgodion o flaen ei lygaid a suddo i'w gilydd, ac yna sylwodd yn sydyn fod yna wahaniaeth mawr yn y plant o'i gwmpas. Gwisgent grysau llwyd a thrywsusau cwta o'r un lliw, cotiau ysgafn, siwmperi a sgertiau llwyd, ac esgidiau du, gloyw—dillad gwahanol iawn i rai'r efeilliaid. Ac roedd gwalltiau'r bechgyn wedi'u plastro'n glòs at eu pennau gan wneud i'w clustiau sefyll allan.

Gwelodd Siân o'r diwedd, a hithau yntau. Cydiodd y ddau yn ei gilydd wrth i bopeth

45

chwyrlïo'n wyllt o'u cwmpas. Nhw oedd yr unig beth solat ynghanol byd heb synnwyr nac ystyr. Cododd aer rhynllyd o oer i ffrwydro yn eu hwynebau a deifio eu crwyn. Yna, lleihaodd y boen a mynd yn ddim, a theimlai eu cyrff fel petaent yn arnofio'n ysgafn. Roedd eu hofn yn ingol.

'Plant . . .'

Newidiodd ffocws yr olygfa o'u blaen yn sydyn a dechreuodd glirio.

'Dwi ddim yn credu'r peth!' mwmianodd Dafydd dan ei wynt.

'Ble'r ydan ni?' hisiodd Siân.

'Dal yn yr ysgol, dwi'n meddwl. Yn yr un neuadd, beth bynnag, ond mae o'n . . . wahanol!'

'Dwi ddim yn deall.'

'Na finna,' cyfaddefodd Dafydd.

'Plant!'

Goleuodd yr olygfa a gallent weld tua dau gant o blant yn sefyll yn y neuadd, pob un yn cydio mewn bocs a edrychai braidd yn fythygiol.

'Be maen nhw'n ei gario?' gofynnodd Dafydd.

'Mygydau nwy! Wyt ti ddim yn cofio'r prosiect 'na wnaethon ni ar yr Ail Ryfel Byd? Dyna be ydyn nhw, betia i! Mygydau nwy!'

'Ble'r ydan ni, felly?'

'Yn ôl yn y gorffennol, dwi'n meddwl,' atebodd Siân, 'adeg rhyfel.'

Daliodd y seiren i gwynfan tu allan. Roedd y plant o'u cwmpas yn rhoi'r bocsys i lawr ac yn stryffaglo i wisgo cotiau glaw glas tywyll.

'Plant.'

Safai ddynes ar y llwyfan a'i gwallt wedi'i dynnu'n ôl mewn bynen. Roedd ei siwt frethyn, ei sanau leil tywyll, a'i hesgidiau call, mor wahanol i'r dillad y byddai athrawon yr efeilliaid yn eu gwisgo. Edrychai fel rhyw greadures estron allan o hen ffilm, ond yna cofiodd Dafydd yn sydyn pwy oedd hi.

'Miss Perry! Dyna pwy ydi hi!' meddai. 'Roedd hi yn y prosiect hefyd. Roedd y lluniau 'na gawson ni ohoni yn gwneud iddi edrych fel hen wrach, ond dydi hi ddim, yn nac ydi? Mae'n edrych yn reit garedig.'

Roedd o'n dyheu am gael o leiaf un oedolyn hynaws ynghanol dryswch y gorffennol ofnadwy yma a oedd wedi eu traflyncu mor sydyn.

Tybed a awn ni byth yn ôl i'n amser ein hunain? meddyliodd Siân. Syllodd o'i chwmpas gan sylwi bod ymylon niwlog y neuadd yn clirio'n raddol.

'Gwrandewch, bawb!' Safai Miss Perry ar blatfform mewn darn arall o'r neuadd. Y tu ôl iddi roedd yna ddarlun mawr o'r Brenin Siôr VI, a baner Jac yr Undeb. Ac ar y paneli pren tywyll o gylch muriau'r neuadd, crogai lluniau o hen brifathrawon yr ysgol, ac arwydd mawr yn dweud:

GWYLIWCH A GWEDDÏWCH!

'Dyna'r seiren,' aeth Miss Perry ymlaen. 'Ond fel arfer, does 'na ddim i'w boeni amdano. Mewn

47

munud neu ddau, fe fyddwn ni'n cerdded yn araf a threfnus allan o'r neuadd, ar draws y cae chwarae ac i lawr i'r lloches cyrch awyr. Byddan ni i gyd yn hollol ddiogel yno, fel pob amser.'

Erbyn hyn, roedd mwy o fanylion y neuadd yn dod i'r golwg. Gwelai Siân athrawon yn sefyll ar yr ymylon. Ac i fyny ar y mur roedd cloc mawr nad oedd hi erioed wedi'i weld o'r blaen, yn tician yn swnllyd. Perliodd chwys oer ar ei thalcen yn sydyn.

'Wyddost ti be dwi'n ei feddwl?' sibrydodd yn chwyrn.

'Gwn!' Crynai llais Dafydd. Yna ymsythodd. 'Ond dydan ni ddim!'

'Ddim yn be?'

'Wedi'n trapio yn y gorffennol.'

Gallai'r efeilliaid ddarllen meddyliau ei gilydd ar adegau o argyfwng. Ac roedd yr adeg hon yn un argyfyngus tu hwnt!

'Dim ond digwyddiad dros dro ydi o,' mynnodd Dafydd, ond swniai'n ansicr er ei waethaf.

'Dros dro am ba hyd?'

'Rhywbeth i'w wneud â Byrt ydi'r cwbl. Roeddan ni'n gwybod ei fod o eisio i ni ei ddilyn yn ôl mewn amser—i'r adeg pan oedd o'n fyw. Felly mae'n rhaid mai amser Byrt ac Arthur ydi hwn. 'Tê?'

Nodiodd Siân. Ond doedd y syniad ddim yn ei chysuro. Teimlai'n fwyfwy sicr eu *bod* nhw wedi cael eu caethiwo yn y gorffennol, a dechreuodd gael atgofion melys am Mr Decker, hyd yn oed.

Oedd posib dianc trwy Byrt, tybed? Ai ganddo fo oedd yr allwedd i'w dihangfa? Yna trawodd syniad arall hi'n sydyn. 'Ydi rhai o'r rhain yn medru'n gweld *ni*, tybed?'

Ysgydwodd Dafydd ei ben. 'Na, dwi'n siŵr nad ydan nhw. Fuasen nhw wedi gwneud rhyw sylw. Wedi'r cwbl, rydan ni wedi'n gwisgo'n hollol wahanol, yn dydan?'

Erbyn hyn, roedd y rhes olaf o blant yn cerdded allan o'r neuadd. Gwelodd Siân yr athrawes, Miss Perry, yn eu hebrwng, pwrs mewn un llaw a mwgwd nwy yn y llall. Edrychai'n ddigyffro ac yn gwbl gysurlon—ac nid yn unig i'w disgyblion ei hunan, oherwydd gwnâi i Siân deimlo'n fwy calonogol. Petai Arthur yn troi'n gas, efallai y medren nhw droi at Miss Perry am gymorth.

Ond yr eiliad nesaf, sylweddolodd na fyddai byth fodd i Miss Perry gynnig help. Rhedai ei bywyd hi a'u bywydau nhw fel dwy linell gyfochrog na fyddai byth yn cyffwrdd! Byddai'n rhaid i Dafydd a hithau ddatrys pethau drostynt eu hunain.

'Gwell i ni fynd i lawr i'w lloches efo nhw,' meddai Dafydd. 'Dyna'r unig ffordd allan.'

'Ffordd allan?' Syllodd Siân arno mewn dychryn. 'Mynd i *lawr* i'r twll 'na er mwyn cael hyd i ffordd *allan*?' Wyt ti'n wallgo?'

'Ond mae ar Byrt ein hangen ni,' cloffodd yn ddigalon.

'Does mo'i angen o arnon ni!' brathodd Siân.

'Ond wnaiff o ddim ein rhyddhau ni nes i ni wneud yn union be mae o eisio.'

'Fyddan ni wedi'n trapio wedyn efo Arthur.'

'Yli, dyna'r unig ffordd fedrwn ni fynd yn ôl!' datganodd Dafydd yn bendant.

Roedd yn rhaid i Siân dderbyn ei fod o'n iawn. Ond biti garw ei fod o!

Dilynodd yr efeilliaid Miss Perry a'r plant allan i'r cae chwarae. Roedd wedi'i amgylchynu â rheiliau uchel a rhes o dai bach i'r plant ar un ochr iddo. Llewyrchai'r haul i lawr o awyr las ganol haf. Cerddai tyrfa o bobl i mewn trwy giatiau'r ysgol—dynion yn gwisgo hetiau, a merched a sgarffiau am eu pennau. Prysurai pob un am y lloches. Ond safodd pawb naill ochr i adael i'r plant fynd i mewn yn gyntaf.

Sylwodd yr efeilliaid wrth fynd heibio fod y rhan fwyaf yn craffu i fyny i'r awyr. Ac wrth iddyn nhw syllu i fyny hefyd, medrent weld smotyn bach du yn gwibio trwy'r awyr uwch eu pennau, yn cadw sŵn fel cacynen wallgof.

'Dwdl-byg!' meddai llais rhywun yn y dorf. 'Edrych yn debyg ei fod o am fynd heibio y tro yma!'

Hofranai anferth o falŵn gwarchod yn yr awyr uwchben yr ysgol, a chlywodd yr efeilliaid rhyw lanc ieuanc yn dweud, 'Gobeithio na wnaiff honna gyffwrdd y ceblau trydan, neu mi fydd 'na goblyn o ffrwydrad!'

'Gafodd yr ysgol ei bomio o gwbl?' sibrydodd Dafydd.

'Fedra i ddim cofio. Dwi'n meddwl ei bod hi.'

'Efalla mai heddiw y digwyddodd y peth!' ebychodd Dafydd mewn braw.

'Tyrd i mewn i'r lloches,' brathodd Siân. 'Sdim ots pa ddiwrnod ydi hi.'

Ceisiodd Dafydd ymwroli. 'Fedran ni ddim cael ein brifo,' meddai'n galonogol. 'Dydan ni ddim yma'n gorfforol, yn nac ydan?'

'Paid â bod mor siŵr!' atebodd Siân, gan ddilyn Miss Perry. 'Mae o'n dibynnu pa mor ddyfn yn y gorffennol ydan ni.'

'Ond fuase hynny'n newid cwrs hanes.'

'Cau hi, wnei di, Dafydd!' brathodd eto. 'Cau hi a tyrd i mewn i'r lloches.'

Er gwaethaf bygythiad y dwdl-byg uwchben, cerddodd pawb i mewn i'r lloches yn drefnus, wedi'u goruchwylio gan y warden a welsant yn neuadd yr ysgol, a dynes oedd wedi'i gwisgo'r un fath ag o. Cymerodd amser i bawb fynd i mewn ond doedd yna ddim panig. Cerddodd Dafydd a Siân i lawr y grisiau cerrig ac i'r cyntedd yn union o flaen y ddau dwnnel. Eisteddai warden arall yno, y tu ôl i hen ddesg ysgol, yn ysgrifennu rhyw fath o adroddiad.

Crynodd Dafydd wrth gamu heibio iddo. Edrychai'r dyn yn hen a chofiodd yn sydyn ei fod wedi bod yn ei fedd ers blynyddoedd maith, yn ôl yn eu hamser nhw. Meddyliodd am fynwent Hockley. Os nad oedden nhw wedi cael eu hamlosgi, byddai llawer o'r bobl yma yn gorwedd yn eu beddau yn y fynwent honno.

Wrth iddyn nhw symud ymlaen i lawr y twnnel cyntaf, gwelodd yr efeilliaid ei fod o'n berffaith lân a thaclus, a chodai arogl cryf o ddisinffectant o bob man. Roedd y meinciau ar hyd yr ochrau newydd eu paentio, ac ar eu hyd, gorweddai clustogau hir wedi'u gwneud gan rywun gartre. Ymddangosai amlinelliad y waliau, a'r holl bethau o'u cwmpas, yn gliriach erbyn hyn, ar wahân i'r ymylon pellaf. Crynai'r rheini braidd yn niwlog o hyd, gan atgoffa'r ddau fod amser yn dal i chwarae triciau â nhw. Ond doedd hi ddim yn oer o gwbl.

Ar y muriau o'u cwmpas, crogai amryw o rybuddion ynglŷn â chofio gorchuddio ffenestri â llenni du. Ac roedd un arwydd mawr yn dweud:

GALL SIARAD DIOFAL
GOSTIO BYWYDAU!

Ym mhen draw'r twnnel, medrent glywed sŵn hisian stêm a ddeuai o'r dŵr berw oedd yn barod ar gyfer gwneud te, ac roedd y ffaith fod y cyfan mor real yn codi arswyd arnyn nhw. Ymhen hir a hwyr, cawson nhw hyd i le i eistedd ar un o'r meinciau, ond yr eiliad nesaf, eisteddodd dwy ddynes ar eu gliniau—er, nid 'eistedd' oedd y gair iawn i'w ddefnyddio! Teimlai'r efeilliaid fel petai pluen meddal wedi cyffwrdd â nhw, ac wedyn doedd dim teimlad o gwbl. Roedden nhw'n medru gweld trwy gyrff y ddwy ddynes, ond eto medrent eu clywed yn trafod y cyrch awyr y noson cynt. Roedd y teimlad yn union fel tasen nhw'n byw y tu mewn i gorff rhywun arall dros dro.

Yn sydyn, daeth Arthur i'r golwg yn gwthio troli wedi'i lwytho â phaneidiau o de a byns. Gwisgai ei siwt sgleiniog arferol, het trilbi, a thei a streipiau amryliw arno. Roedd yna wên annymunol iawn ar ei wyneb.

'Ydi o'n ein gweld ni, tybed?' sibrydodd Siân.

'Pwy a ŵyr?' oedd ateb Dafydd.

Clywsant gyfarthiad bach wrth eu hochr a theimlodd Siân Byrt yn llyfu'i ffêr. Roedd yn amlwg ei fod o'n eu gweld nhw.

'Helô, Arthur,' meddai dyn a eisteddai ar fainc gyferbyn. 'Sut wyt ti?'

'Iawn. Sdim lle i gwyno.' Roedd ei lais yn ddwfn ac yn gryglyd.

'Da dy weld ti mor brysur.'

'Rhaid i mi wneud fy rhan.'

'Clywais i dy fod ti wedi gwerthu'r siop.'

'Do, a'r fan hefyd. Toriad llwyr.'

'Be 'di hyn dwi'n glywed dy fod ti wedi rhoi'r elw i'r Lloches Anifeiliaid?'

'Wel, rhois i rywfaint iddyn nhw.'

'Dim tebyg i chdi, yn nac ydi?'

'Be?'

'Rhoi arian i ffwrdd.' Chwarddodd y dyn a cheisio gwneud jôc o'i eiriau. Ond cafodd Dafydd y syniad bod yna lawer mwy y tu ôl i'r jocian. A doedd Arthur ddim i'w weld yn rhy hoff o gael ei holi fel yna. Ceisiodd wthio'i droli ymlaen ond safai dynes anferth, a dau fag siopa mawr ganddi, yn union o'i flaen. Roedd hi'n brysur yn clebran efo ffrind.'

'Na, dydi hynny ddim tebyg i ti o gwbl, Arthur,' meddai'r dyn yr eildro.

'Esgusodwch fi, madam.'

Ond ni chlywodd y ddynes ef, a bu raid i Arthur aros.

'Busnes ofnadwy oedd hwnna yn Barclays, yntê?' aeth y dyn ymlaen. Hoeliodd ei lygaid ar wyneb Arthur.

'Be?'

'Cymryd maintais o'r ffaith fod 'na gyrch awyr yn disgwydd ar y pryd.'

'Am be wyt ti'n sôn?'

'Paid â dweud na chlywaist ti am y lladrad ym manc Barclays ddoe? A hynny ar ganol cyrch awyr? Ble wyt ti wedi bod?'

'Es i lawr i Margate i weld fy chwaer yng nghyfraith.'

'O ia! Roeddwn i'n meddwl nad oeddwn wedi dy weld di yma ddoe.'

'Na.' Ceisiodd Arthur wthio'r troli yn erbyn cefn y ddynes. 'Wnewch chi symud, plîs. Ond doedd hi'n dal ddim yn clywed, a bu raid iddo aros eto.

Gofynnodd yn gloff, 'Be ddigwyddodd yn Barclays, felly?'

'Cerddodd dyn i mewn a gwn yn ei law a mwgwd dros ei wyneb. Gofynnodd am yr holl bres oedd yn y lle.'

'A be wnaethon nhw?'

'Ei roi o, wrth gwrs. Pan mae bomiau ar fin disgyn, dwyt ti ddim yn oedi i ddadla efo gwn, yn nagwyt?' meddai'r dyn. Medrai Siân glywed tinc gwawdlyd yn ei lais, ond ai dychmygu pethau roedd hi?

'Neb yn ei iawn bwyll,' cytunodd Arthur.

'Cerddodd allan efo'r cwbl! Ond ces i air gydag Inspector Wren wedyn.'

'O, ia?' Roedd hi'n amlwg bod Arthur yn ymdrechu i ymddangos yn ddidaro.

'Wyt ti'n nabod Inspector Wren, wrth gwrs?'

'Ydw, ychydig.'

'Wel, mae o'n meddwl bod y lleidr yn rhywun lleol. A bod yr ysbail yn dal i fod yn rhywle agos.'

'O, ia?'

'Be wyt ti'n 'i feddwl, Arthur?'

'Dim syniad, Ron. Sut ma'r droed?'

'Yn dal i fod yn boenus.'

'Cadw chdi allan o'r lluoedd arfog, felly. Fydd o'n hir yn gwella?'

'Yn hir iawn, Arthur, yn hir iawn.'

'Wnest ti 'rioed dy saethu dy hun yn y droed, Ron.'

'Am syniad twp, Arthur!' Chwarddodd Ron yn anesmwyth.

'Gwyliwch eich cefnau, plîs!' Gwthiodd Arthur ei droli ymlaen a tharo'r ddynes dew ar phen-ôl mawr. Neidiodd honno gan weiddi'n gas arno.

'Gwela i di, Arthur!'

'Da boch, Ron!'

Wedi i Arthur symud ymlaen gyda'i droli, cafodd Siân a Dafydd gyfle i astudio Ron. Roedd o'n dal, a chanddo wyneb tenau, hir ac ysgithrog. Pwysai'n drwm ar ei ffon, gan syllu ar gefn Arthur a golwg o atgasedd ar ei wyneb.

Dechreuodd sŵn y gacynen wallgof eto yn union uwchben y lloches, a disgynnodd distawrwydd llethol dros y lle wrth i bawb syllu i fyny at y nenfwd yn wyliadwrus.

'Dwdl-byg!' meddai un ddynes yn ofnus. 'Mae'n swnio'n debyg i awyren, ond pan ddaw'r tanwydd i ben . . . i lawr â hi fel darn o blwm. Heb unrhyw sŵn!'

Daliodd pawb eu gwynt a disgwyl. Aeth y distawrwydd ymlaen ac ymlaen . . . ac yna, ysgydwyd y lle i gyd gan ffrwydrad anferth. Syrthiodd llwch i lawr fel cawod, a thaerai Siân iddi weld un o'r polion a ddaliai'r nenfwd i fyny yn ysgwyd ac yn plygu'n fygythiol.

Roedd llygaid Ron ar draws y ffordd yn fawr gan ofn, a'r ddynes dew wrth ei ochr yn crynu fel deilen. Dechreuodd plentyn grio, ond yna, yn rhywle, dechreuodd rhywun ganu.

Clywsai'r efeilliaid yr hen gân Saesneg o'r blaen, heb iddi wneud fawr o argraff arnynt, ond yma, yn ddwfn yn y lloches, swniai'n ddwys a hiraethus. Bygythiai dagrau orlifo o lygaid y ddau.

'We'll meet again, don't know where, don't know when,
But I know we'll meet again some sunny day.'

Ar ryw reswm, teimlai Dafydd a Siân fod gan y geiriau ryw arwyddocâd arbennig iddyn nhw, a chododd eu calonnau. Ond yn ogystal â hynny, roedd y gân wedi rhoi nerth iddyn nhw.

'Roedd honna braidd yn rhy agos, yn doedd?' meddai Ron wrth y ddynes dew pan orffennodd y canu.

'Maen nhw'n dweud os ydi'ch enw chi arni, does 'na ddim gobaith . . .'

'Aros funud—dyma'r heddlu. Be maen nhw 'i eisio yma, tybed?' meddai Ron. Ac yna, 'Inspector Wren!' galwodd, a rhyw ffug gynhesrwydd yn ei lais.

'Helô, giaffar!' atebodd y plismon. Roedd o'n dal ac yn llydan fel drws, a chanddo fwstás tebyg iawn i un Arthur. Dilynodd dau gwnstabl wrth ei sodlau.

'Be ydach chi'n 'i wneud yma? Dod i arestio'r gelyn? Chewch chi mohono fo yma—mae o i fyny yn y cymylau.' Chwarddodd Ron am ben ei jôc wan ei hun.

'Na, i lawr fa'ma mae'n busnes ni,' atebodd y plismon yn llym.

'Ydi o'n rhywbeth i'w wneud â'r lladrad banc ddoe?' gofynnodd Ron.

Edrychodd y ddynes dew wrth ei ochr yn

chwilfrydig er gwaethaf sŵn bom arall yn ffrydro yn ymyl. Ysgydwodd y lloches yn waeth na'r tro diwethaf.

'Meindia dy fusnes dy hun, ac mi wna inna 'run fath!'

'Mae Arthur efo'r troli te yn rhywle,' meddai Ron yn frysiog. 'Cofiwch ofyn iddo am baned.'

'Ardderchog!' meddai'r plismon. 'Un gweithgar iawn ydi Arthur, yntê? Bob amser yn gwneud ei ran.'

'O, ydi!' cytunodd Ron yn frwdfrydig.

'Fe roddodd swm sylweddol o arian i'r Lloches Anifeiliaid, yndo?'

'O, do!'

Bu distawrwydd hir. Yna symudodd y plismon ymlaen.

'Gwela i di, Ron,' meddai.

Synhwyrai Siân wrth edrych arnyn nhw fod yna ryw fath o gynllwyn dirgel rhwng y ddau.

'Dwi'n siŵr bod y Ron 'na'n un sy'n rhoi gwybodaeth i'r heddlu,' meddai Dafydd. 'Wyt ti'n meddwl eu bod nhw'n amau mai Arthur ydi'r lleidr?'

'Edrych yn debyg,' meddai Siân.

'A Ron?'

'Un drwg ydi yntau hefyd!' atebodd Siân yn gadarn. Roedd nerth y gân Saesneg yn dal i'w chynnal.

Pum munud yn ddiweddarach, cwynfanodd y seiren eto, ond ar un nodyn hir, undonog y tro yma, i arwyddo bod y perygl drosodd. Cododd y bobl o'r meinciau a dechrau gadael.

'Gwell i ni aros,' cynghorodd Siân yn dawel.

'Pam?'

'I weld be mae Arthur yn 'i wneud. Ac mae Byrt eisio i ni aros.'

'Efalla nad ydi o'n gwneud unrhyw beth arbennig,' meddai Dafydd braidd yn amddiffynnol. Edrychai'n wahanol, rywsut, a golwg hurt, ryfedd, ar ei wyneb. Gwyddai Siân ar unwaith mai hiraethu am adre oedd o. Gwelodd yr union olwg yna arno o'r blaen, pan oedden nhw'n aros mewn gwersyll, yr haf diwethaf. Roedd hi'n amlwg bod nerth y gân yn cilio oddi wrtho.

'Rhaid i ni aros i weld!' meddai hi eto.

'Wyt ti'n meddwl y gwnaiff Byrt ein rhyddhau ni'n fuan?' gofynnodd Dafydd.

'Dim ond pan fyddan ni wedi gwneud yn union be mae o eisio.'

Roedd Ron a'r ddynes dew yn cerdded allan, ac ar ôl ychydig funudau, doedd yna neb ar ôl yn y lloches. Tyfai rhyw deimlad tyn y tu mewn i Siân, a gwyddai fod ei nerth hithau'n gwanhau hefyd. Oedden nhw wedi'u condemnio i grwydro rhodfeydd y gorffennol am byth? I fod yn gysgodion roedd pobl eraill yn eistedd arnyn nhw?

Clywodd y ddau sŵn cyfarth, a rhedodd Byrt atyn nhw gan chwifio'i gynffon a rhoi ei ꞁwennau ar eu penliniau.

'Wel, os oes unrhyw un yn mynd i'n helpu ni,' meddai Dafydd, 'Byrt ydi hwnnw.'

Edrychodd Siân ym myw llygaid mawr brown y ci. 'Fedra i ymddiried ynot ti tybed?' meddai.

Symudodd Byrt i ffwrdd. Roedd yn llawer mwy cyfeillgar nawr ei fod o yn ei amser ei hun.

'Be am yr heddlu?' gofynnodd Dafydd. Ond doedd o ddim yn poeni llawer amdanyn nhw mewn gwirionedd. Roedd eu hamser nhw drosodd. Trwynodd Byrt ef. Yna symudodd gam neu ddau i ffwrdd cyn dod yn ôl i'w aildrwyno. Roedd hi'n amlwg fod arno eisiau i'r efeilliaid ei ddilyn.

'Efallai wnaiff o'n tywys ni o'ma . . . ac yn ôl i'r disgo,' meddai Dafydd yn obeithiol.

'Ddim y ffordd yna mae o'n mynd!' atebodd Siân yn swta.

Dilynodd y ddau y Labrador i lawr y twnnel ac i'r ystafell fawr wag yn y pen draw. Er mawr syndod iddynt, edrychai'r lle bron yn gysurus. Roedd yna fyrddau a chadeiriau, cwpwrdd llyfrau yn llawn o nofelau iasoer a ditectif, a hen stof nwy. Yn ymyl, safai silffoedd a sosbenni a dysglau arnyn nhw, ac roedd hyd yn oed hen ddresel Gymreig ymhellach ymlaen. Roedd carped tenau ar y llawr, a safai'r hen biano a welsent yn ddarnau yn y twnnel y tro cynt, yn erbyn y wal. Roedd ei harwyneb du wedi'i caboli nes ei fod yn sgleinio.

Ymddangosai'r twnnel arall yn dywyll iawn yn

y pen draw, ac yn union gyferbyn, roedd wal uchel o fagiau tywod. Doedd 'na neb i'w weld, ac roedd y lle mewn distawrwydd llwyr, ond safai radio ar y ddresel, a chwpan yn hanner llawn o de. Yn sydyn, clywodd yr efeilliaid rywun yn symud yn ymyl.

Cripiodd yr efeilliaid yn ochelgar i fyny at y bagiau tywod. Roedden nhw wedi'u pentyrru'n uchel ac yn amlwg yn stôr o fagiau sbâr, gan fod yna fylchau yma ac acw lle'r oedd rhai wedi'u tynnu i ffwrdd, ac eraill wedi'u taflu i mewn i ferfa.

Craffodd Siân rownd y gornel. Gwelodd fylb trydan yn goleuo bwrdd a chwe chadair, a ffôn. Roedd yno hefyd gabinet ffeiliau, a desg wedi'i gorchuddio â phapurau o bob math—rhai yn sôn am rybuddion cyrch awyr a chyfarwyddiadau eraill gan yr awdurdod lleol. Yng nghanol y bwrdd safai arwydd yn dweud:

SWYDDFA REOLI. DIM MYNEDIAD.

Ac yno, yn penlinio ar y llawr ac yn ffidlan efo un o'r bagiau tywod, roedd Arthur. Trotiodd Byrt rownd y gornel ac edrychodd ei feistr i fyny. Dywedodd yn fwyn, 'Tyrd yma, boi! Wyt ti am roi mwythau i mi?'

Aeth y Labrador ato a llyfu ei wyneb gan ysgwyd ei gynffon.

'Dyna ni! Hogyn da! Bydd popeth yn iawn o hyn ymlaen. Byddi di'n ocê yn y Lloches Anifeiliaid os digwyddith rhywbeth i mi. Dwi wedi trefnu popeth ar dy gyfer, ac wedi talu am le i ti am flynyddoedd a blynyddoedd.'

Daliodd Arthur ên y ci yn ei ddwylo, gan hanner siarad ag ef, a hanner meddwl yn uchel. 'A'r Ron 'na, wyddost ti! Gobeithio nad aiff o at yr heddlu fel mae o'n 'i fygwth. Diawl ydi o! Mi dala i'n hallt iddo ryw ddiwrnod.' Crynodd ei holl gorff yn sydyn. 'Wyddost ti be, boi? Mae 'na rhywun newydd gerdded dros fy medd. Cefais yr un teimlad fwy nag unwaith yn ddiweddar. Fel tasai rhywun yn fy ngwylio o hyd. Dwi ddim yn meddwl fod gen i lawer o amser ar ôl yn yr hen fyd 'ma. Hidia befo, hen ffrind! Rwyt ti'n dal i fod efo mi . . . am ychydig mwy o amser, beth bynnag. Ffrind wyt ti! Fy ffrind gorau!' Cuddiodd ei wyneb ym mlew trwchus y Labrador a chlywodd yr efeilliaid o'n hanner beichio, 'Byrt! Llinach hir ohonoch chi. Fy Byrt olaf!' Ymsythodd yn sydyn a sefyll i fyny. 'Be ar y ddaear sy'n mater arna i? Arwydd o wallgofrwydd ydi siarad â chdi dy hun, medden nhw. Neu efo dy gi!'

'Rwyt ti'n dweud y gwir, Arthur. Ydi, mae o!' Deuai'r llais o nunlle, rywsut—llais annymunol, ond llais cyfarwydd. Trodd y brawd a chwaer i wynebu ei gilydd.

'Ron!' siapiodd Siân yr enw yn ddistaw â'i gwefusau.

A dyna lle'r oedd o'n cerdded allan o'r twnnel pella, ei ddwylo yn ei bocedi, ac yn gwenu. Ond roedd yr aer rhwng y ddau ddyn yn berwi o elyniaeth. Synhwyrodd yr efeilliaid y casineb rhyngddynt ar unwaith.

'Be wyt ti eisio yma?' gofynnodd Arthur yn llym.

'Rwyt ti'n gwybod yn iawn be rydw i eisio.'

Safai Byrt yn amddiffynnol o flaen ei feistr. Dangosodd res o ddannedd miniog a chwyrnodd yn fygythiol.

'Beth bynnag wyt ti eisio, chei di mohono yn fa'ma.'

'Yli, cadwa'r ci 'na dan reolaeth!' Edrychai Ron yn bryderus.

'Aros lle'r wyt ti, 'ta.' Tawelodd Arthur ychydig ond roedd o'n dal i fod yn wyliadwrus.

'Mae arnat ti bres i mi.'

'O, oes?'

'Paid â chwarae gêm fel'na efo mi!' Camodd ymlaen at Arthur. Chwyrnodd Byrt yn uwch.

'Bacha hi o'ma, Ron, cyn i Byrt droi arnat ti.'

'Ble mae o?' gofynnodd Ron yn dawel.

'Ble mae be?'

'Yr arian!'

'Dwi ddim yn gwybod am unrhyw arian.'

'Yr arian o fanc Barclays.'

'O, hwnna! Fûm i ddim yn agos i'r lle,' meddai Arthur yn ddidaro. 'Nid fi a'i ddygodd o.'

'O, ia!' ysgyrnygodd Ron. 'Ti oedd y lleidr ac

mi wn i fod yr arian yn dal i fod gen ti. Deng mil oedd o, yntê? Ac wedi'i guddio yma'n rhywle.'

'Fuaswn i'n ffŵl o'r radd flaena i wneud peth mor dwp,' atebodd Arthur. 'Beth bynnag, mae'r heddlu wedi bod yn chwilio yma eisoes.'

'Nagwyt, dwyt ti ddim yn dwp. Mi fuaset ti'n siŵr o'i guddio fo mewn lle amlwg. Mor amlwg, fuasai neb byth yn meddwl amdano fo.'

Chwarddodd Arthur yn uchel. 'Does gen i 'run syniad am be rwyt ti'n sôn, ffrind.'

'Wyt ti'n cofio Wandsworth?' aeth Ron ymlaen. 'Dwy fil dan y pafin wrth yr arhosfan bysiau yn Crepley Avenue? A dwy fil arall o dan lawr ffug dy dŷ ha' pren di yn yr ardd? Oes rhaid i mi ddweud mwy?'

'Mi ddigwyddodd hynna i gyd cyn i mi gael diwygiad a rhoi'r gorau i'r bywyd drwg am byth.' Ceisiodd Arthur wneud jôc o'r cyfan.

'A fi ddaru dy helpu di yn y warws yn Crepley. Cofio? Addewaist ti fy nhalu i. Ond wnest ti ddim!'

'Cael fy nhaflu i'r carchar wnes i, yntê?'

'Ond ddim cyn i ti guddio'r rhan fwyaf o'r ysbail. Cafodd yr heddlu hyd i ddim ond darn bach ohono. Ac wedyn pan ddoist ti allan o'r carchar, roedd gen ti ddigon i brynu busnes a fan i fynd efo fo. Rhyfedd iawn!'

'Gan y wraig ges i'r pres. Mi gafodd hi rodd mewn ewyllys gan hen fodryb iddi. Roeddet ti'n gwybod hynny.'

'Nac oeddwn!' Clywodd Dafydd a Siân sŵn clicio, a fflachiodd rhywbeth metel yn llaw Ron.

Cyllell! Gallai'r efeilliaid ei gweld hi'n glir. Roedd ei llafn yn hir, miniog, a chreulon.

'Rŵan, dwi'n gwybod bod gen ti galon wan, Arthur,' aeth Ron ymlaen yn bwyllog. Neidiodd calonnau'r plant. Fel hyn bu Arthur farw? Ac nid o ganlyniad i drawiad ar y galon? 'Ddylet ti ddim fod yn lladrata. Ddim yn dy gyflwr di. Dwyt ti ddim yn ddyn iach.'

'Paid â dod yn agos, Ron, neu mi fydd y ci yn siŵr o dy gael di.'

'Os felly, Byrt fydd y cynta i gael ei drywanu! Cadwa fo o dan reolaeth! Deall?'

'Rhaid i mi wneud rhywbeth!' sibrydodd Dafydd yn groch.

'Sut fedrwn ni? Y gorffennol ydi hwn. Chawn ni ddim ymyrryd â'r gorffennol!'

Nesaodd Ron at Arthur a gwên fach faleisus ar ei wefusau. Daliai'r gyllell i fflachio yn ei law. 'Tyrd yn dy flaen! Gwna bethau'n haws i ti dy hun. Y cwbl rydw i eisio ydi'r hyn sy'n ddyledus i mi.'

'Dos i gythraul!' atebodd Arthur yn hollol ddigyffro ac oeraidd.

'Mi a' i i siarad â'r heddlu. Dweud wrthyn nhw dy fod ti wedi cuddio'r arian yn y lloches 'ma yn rhywle.'

'Cei di ddweud unrhyw beth lici di wrthyn nhw. Chawn nhw byth hyd iddo fo,' meddai Arthur yn llawn hunanhyder.

'Dwi'n 'i feddwl o!'

'A Byrt hefyd!' Cyrcydai'r Labrador yn barod i neidio. Roedd ei lygaid yn disgleirio, a'r chwyrnu'n cynyddu fwyfwy.

'Rhaid i mi wneud rhywbeth,' sibrydodd Dafydd wrth ei chwaer eto.

'Fedri di ddim! Gad bopeth fel mae o! Does 'na affliw o ddim fedr 'run ohonon ni ei wneud i newid cwrs hanes. Paid â thrio!'

'Fedra i ddim sefyll fa'ma a gadael i hyn ddigwydd!' A chyn i Siân fedru ei atal, rhuthrodd Dafydd ymlaen a deifio am goesau Ron. Aeth yn syth drwyddyn nhw.

Cafodd Dafydd ei hun yn gorwedd ynghanol twmpath o sbwriel ar lawr y lloches. Codai arogl llaith, hen, o bob cyfeiriad. Ond ble'r oedd Siân? Ni fedrai weld dim. Roedd cyn dded â bol buwch yn yr hen loches ac yn llethol o ddistaw. Doedd dim arwydd o'i chwaer. Sibrydodd ei henw. Gwaeddodd ei henw. Ni ddaeth ateb. Swniai'i lais yn denau ac ofnus yn y tywyllwch mws.

'Siân!' galwodd. 'SIÂN? Ble'r wyt ti?'

Rhuthrodd pob math o feddyliau erchyll drwy'i feddwl. Oedd y gorffennol wedi'i wrthod am ei fod wedi ymyrryd â fo? Oedd ei efell wedi'i chloi am byth yn y gorffennol? Beth tase fo byth yn ei gweld hi eto, ond fel bwgan? Neu ddim o gwbl? Tynhaodd ei frest mewn poen. Ac yna'n sydyn, gwegiodd Siân yn sigledig trwy'r rwbel fu unwaith yn gegin.

'Ble ar y ddaear wyt ti wedi bod?' gwaeddodd Dafydd yn wyllt.

'Ble est ti?' gofynnodd Siân. Llanwodd ei llygaid â dagrau a rhuthrodd tuag ato. Bu bron iddi faglu dros focs mawr wrth wneud, a chydiodd ym mraich ei brawd. 'Wel?'

'Ymyrryd â'r gorffennol wnes i, 'te?' Ac yn sydyn roeddwn i'n ôl yma. Dwi'n gwybod rŵan na ddyliwn i fod wedi gwneud y fath beth . . .'

Ochneidiodd Siân. 'Un fel'na wyt ti, yntê? Yn hollol fyrbwyll.'

'Sut daethost *ti'n* ôl, felly?'

''Run ffordd â ti,' cyfaddefodd. 'Gafaelais ym mraich Ron . . . aeth fy llaw yn syth drwyddo . . . ac roeddwn yn glanio'n ôl yma.'

'Ond fedran ni dal weld! Roedd hi'n gwbl dywyll yma o'r blaen.'

Edrychodd Siân o'i chwmpas yn syn. 'Medran. Yn union fel tasai'r golau trydan yn dal i fod ynghynn.'

'Wyt ti'n meddwl bod amser am fod yn garedig wrthyn ni?' gofynnodd Dafydd. 'Am unwaith?'

'Wn i ddim. Gwell i ni frysio,' meddai Siân, 'oherwydd os na wnan ni, bydd y lle 'ma'n dywyll unwaith eto.'

'Wyt ti'n meddwl y dylien ni chwilio am y pres?'

'Fydd o ddim yma!' atebodd Siân yn ddiamynedd.

'Pam?'

'Byddai Arthur wedi'i wario fo. Neu byddai Ron wedi'i ddwyn o.'

'Os felly, cafodd Arthur ei *lofruddio*! Rhaid i ni fynd yn ôl i archwilio'r swyddfa yn y pen draw.'

Roedd y golau'n gwanhau, ac oedodd.

'Tyrd yn dy flaen!' gwaeddodd Siân. 'Fedran ni ddim stryffaglo trwy'r tywyllwch. Ddim eto!'

'Pam?'

'Rhaid i ti gael golau i chwilio, y penbwl! Mi ddown ni'n ôl efo torts. A thorts sy'n gweithio'r tro yma!' ychwanegodd.

'Ocê,' cytunodd Dafydd braidd yn warafun. Dilynodd hi ar hyd y twnnel tua'r allanfa. 'Ond dwi'n dal i deimlo'n bod ni wedi gwneud smonach o'r cwbl.'

'Wel, mae Byrt gynnon ni fel arweinydd ysbrydol. Ac rydan ni wedi gweld Arthur, Ron, Miss Perry, a'r plant i gyd, a dwsinau o bobl eraill. Rydan ni wedi dechrau, yn do?' Crynodd lais Siân. 'Dydi'r holl beth ddim drosodd eto, wyddost ti.'

Hanner cwympodd Dafydd trwy'r twnnel yn y gwyll. 'Dydan ni ddim yn hela bwganod o'n gwirfodd, yn nac ydan?' meddai. 'Byrt ddaeth i chwilio amdanan *ni*. Mae 'na ddiwedd i'r holl beth yn rhywle. Bownd o fod!'

'Ti'n iawn!' Roedden nhw hanner ffordd i lawr

y twnnel erbyn hyn. Teimlai Siân yn well, ac roedd ei meddwl yn fwy clir. 'Ddim y *ni* sy eisio ymyrryd yn y gorffennol. Pam ydan ni yno o gwbl, felly?' Agorodd Dafydd ei geg i'w hateb ond cariodd Siân ymlaen. 'Dwi'n siŵr bod gan yr holl beth rywbeth i'w wneud â'r lladrad banc, a'r pres gafodd ei ddwyn.'

'Efalla. Ac efalla bod rhywun o'r gorffennol eisio i ni wneud rhywbeth efo fo,' meddai Dafydd yn sydyn. 'Fel . . . ei roi o i'r Lloches Anifeiliaid!'

Arhosodd Siân yn stond, a thrawodd Dafydd yn ei herbyn.

'Rwyt ti wedi taro'r hoelen ar 'i phen!' meddai. 'Wyt, wir! Dwi'n meddwl mai dyna'n union fuasai Arthur eisio. I gadw'r lle rhag cau. Mi fuasai eisio hynny yn fwy na dim.'

'Tyrd! Awn ni'n ôl i gael hyd i'r pres,' meddai Dafydd, 'cyn gynted ag y medrwn ni.'

'Ond be tasai Ron wedi'i ddwyn o? Ac wedi llofruddio Arthur . . . a Byrt?'

'Be welaist ti cyn gadael?'

'Dim llawer. Roedd Ron yn dal i sefyll o flaen Arthur efo'r gyllell. Ac roedd Byrt yn chwyrnu.'

'Be wnest ti?'

'Gafael yn siaced Ron. Roedd yn rhaid i mi wneud rhywbeth. Ond wnaeth o fawr o wahaniaeth.'

'Dwi'n gwybod,' cysurodd Dafydd hi. 'Os cafodd Arthur ei lofruddio fuasai Mam na Dad byth yn dweud gair amdano o achos y sgandal.

Rhaid i ni ofyn i rywun arall. Beth am ofyn i rywun sy'n cofio'r rhyfel ac oedd yn byw yn Hockley ar y pryd?'

'Len Large, gofalwr yr ysgol? Mae o'n hen fel pechod.'

'Dydi o ddim yn un cyfeillgar iawn.'

'Mae o'n iawn efo mi,' atebodd Siân. 'Unig ydi o, dwi'n meddwl. Mae ganddo fo gath o'r enw Smudge, ac os wyt ti'n garedig wrth Smudge . . .'

'Mi fyddwn ni'n garedig wrth Smudge,' meddai Dafydd. 'Yn garedig iawn, iawn!'

Wedi iddyn nhw frwsio'r llwch o'u dillad, sleifiodd Siân a Dafydd i mewn trwy ddrws ochr yr ysgol, ac i'r neuadd. Ni sylwodd neb arnyn nhw'n dychwelyd.

'Yli'r cloc!' hisiodd Siân. 'Dydan ni ddim wedi bod i ffwrdd mwy na deng munud.'

Roedd y ddau wrth eu bodd i fod yn ôl yn y presennol, i gael cymysgu efo'u ffrindiau unwaith eto, i fwynhau curiad trwm y miwsig, i gymryd rhan yn yr holl hwyl, ac i fod ymysg pethau cyfarwydd. Bu bron i'r ddau weiddi'n uchel mewn llawenydd. Ond nid oedd yr hapusrwydd i barhau'n hir.

Croesodd Gari ar draws y neuadd atynt a golwg powld ar ei wyneb. Ni chlywsent air roedd o'n trio'i ddweud nes iddyn nhw symud i ben draw'r neuadd.

'Ble'r ydach chi'ch dau wedi bod, felly?'

'Yn meindio'n busnes ein hunain,' atebodd Dafydd yn swta. 'Be amdanat ti?'

'Pam rwyt ti eisio gwybod?' gofynnodd Siân.

'Sylwi wnes i bod gwe pry cop dros eich dillad i gyd. O ble daeth o?'

Syllodd y ddau'n hir ar ei wyneb brychog, cyfrwys, heb yr un syniad sut i'w ateb.

'Gwe pry cop?' Ystwyriodd Dafydd o'r diwedd a brwsio llawer ei siwmper. 'O ble daethon nhw?' Doedd wiw iddo edrych ar Siân. Gwyddai nad oedd ganddi hi ateb parod chwaith.

'Ia, gwe pry cop,' gwenodd Gari'n llydan. 'Be ydach chi'ch dau wedi bod yn 'i wneud?'

'Gwneud?' Ceisiodd Dafydd ei orau i droi'r holl beth yn jôc. 'Be wyt ti'n 'i feddwl? Be rydan ni wedi bod yn 'i wneud?'

'Pam rwyt ti'n ailadrodd popeth?'

'Pryfocio rydan ni, siŵr iawn,' meddai Siân yn ddigyffro, 'er mwyn gweld dy wyneb di. Mi fuon ni o dan y llwyfan yn . . . yn . . . tynnu'r offer disgo allan.'

'Roeddwn i'n meddwl ein bod ni'n cael y disgo gan rywun o'r tu allan i'r ysgol.'

'Ydan.' Roedd yn rhaid i Dafydd ddilyn trywydd meddwl ei chwaer. 'Ond roedd angen rhai o'r blocia 'na i'w gosod y tu ôl i'r seinyddion. Roedden nhw braidd yn sigledig.' Gwyddai fod yr eglurhad yn un gwan iawn ond ceisiodd siarad mor hunanhyderus ag y medrai.

'Ers pa bryd ydach chi'n gosod offer disgo?'

gofynnodd Gari'n genfigennus. Roedd ganddo baranoia ei fod yn cael ei adael allan o bopeth.

Manteisiodd Siân ar hynny a brysio i ddweud, 'Y prifathro ofynnodd i ni. Wn i ddim pam. Efalla'i fod o'n hoff ohonon ni.'

'Llyfwyr tinau!' poerodd Gari'n ffiaidd a cherdded i ffwrdd.

'Wa-ww!' Roedd Siân yn chwysu. 'Bu bron iddo daro ar y gwir.'

'Do,' atebodd Dafydd. 'Rhy agos o lawer! Gwell i ni . . .'

Ond ar y gair, ffrydiodd oerni ofnadwy drostynt a diflannodd y gwres.

'O, na!' erfyniodd Siân. 'Ddim rŵan! Ddim mor fuan! Dydan ni ddim yn barod . . .'

Yn rhyfedd iawn, ni newidiodd yr olygfa o'u blaen. Roedd y plant yn dal i ddawnsio i guriad trwm y miwsig.

'Edrych!' meddai Dafydd. 'Allan ar y cae chwarae.'

Trwy unig ffenest y neuadd, gwelsant amlinelliad niwlog ac aneglur o Ron yn rhedeg am ei fywyd a Byrt wrth ei sodlau. Rhedai nerth ei draed i osgoi safnau'r ci, gan chwilio am le i guddio. Diflannodd trwy giatiau'r ysgol i'r tywyllwch, a Byrt yn dal i'w ddilyn.

'Gwaed welais i ar grys Ron?' gofynnodd Siân. 'Dwi'n meddwl imi weld staen tywyll arno.'

'Roedd Byrt yn iawn,' meddai Dafydd.

'Ond be am Arthur? Ydi o'n fyw, tybed?'

Roedd cwsg yn amhosib y noson honno. Chwyrlïai meddyliau'r efeilliaid yn ddi-baid ar ôl holl ddigwyddiadau'r diwrnod, ac roedden nhw'n poeni hefyd am yr hyn oedd i ddod—ac yn gofidio am Arthur. Beth oedd wedi digwydd iddo?

Ond er gwaethaf y cwbl, cododd Dafydd a Siân yn gynnar, yn benderfynol o fynd i weld Len Large cyn i'r ysgol ddechrau. Bwytaodd y ddau eu brecwast ar wib gan achosi syndod i'w mam.

'Welais i 'rioed mohonoch chi mor awyddus i fynd i'r ysgol' meddai.

I ffwrdd â nhw ar eu beiciau. Wrth iddyn nhw nesáu at yr ysgol, meddyliodd Dafydd am rywbeth arall.

'Be wnawn ni â'r pres pan ddown ni o hyd iddo?'

'*Os* cawn ni hyd iddo,' cywirodd Siân.

'Ia, ocê, *os* cawn ni hyd iddo. Fydd yr heddlu ddim yn gadael i ni ei roi o i'r Lloches Anifeiliaid, na fyddan? Doedd o ddim yn perthyn i Arthur yn y lle cynta. Ei ddwyn o wnaeth o.'

'Efalla bydd 'na wobr,' atebodd Siân. 'Oce,

efalla bod yr arian papur yn hen a brau erbyn hyn, ond *efalla* byddan nhw'n falch o'i gael o'n ôl. Ac *efalla* bydd banc Barclays yn ddigon balch i gysidro rhoi rhodd i'r Lloches.'

'Posib,' cytunodd Dafydd. 'Ond does gan fwgan Arthur ddim llawer o syniad o amser, yn nac oes?'

'A Byrt llai byth!' ychwanegodd Siân.

Cusurodd yr efeilliaid eu hunain fod ganddyn nhw bwrpas mewn golwg nawr. Ond, heb os nac oni bai, byddai'r gorffennol yn siŵr o ymestyn allan atyn nhw eto, a byddai Byrt yn dychwelyd amdanyn nhw.

'Be ydach chi'ch dau eisio, felly?'

Doedd Len Large ddim yn un cyfeillgar iawn, yn enwedig gyda bechgyn. Doedd o ddim yn eu hoffi nhw. Niwsans oedden nhw, ac mor anfoesgar. Fe wyddai Siân ychydig o'i hanes—dim llawer, ond digon i gychwyn sgwrs. Roedd ei wraig wedi marw, a doedd yna ddim plant. Ei gartre oedd byngalo'r gofalydd y tu cefn i'r cae chwarae. Ei unig gwmni oedd Smudge, ei gath, ac roedd yn colli'i wraig yn arw. Ei unig deulu oedd ei dad a oedd yn byw mewn cartre hen bobl yn ymyl.

Yn driw i'w enw, roedd o'n glamp o ddyn trwsgl, a chanddo wyneb tebyg i sbaniel, a llygaid mawr, trist. Ond edrychai'r llygaid hynny'n ddrwgdybus ar bobl yn aml—fel y gwnaent nawr wrth edrych ar Dafydd. Teimlodd Siân yn sydyn y buasai'n well tase hi wedi dod ar ei phen ei hun. Roedd yn rhy hwyr nawr, wrth gwrs. Doedd ond gobeithio nad agorai Dafydd ei geg mawr. Ond dyna'n union beth wnaeth o.

'Ga i weld Smudge?' gofynnodd mewn llais gwylaidd.

Gwingodd Siân.

'I be?'

'Am fy mod i'n hoffi cathod.' Gwenodd o glust i glust.

Gwingodd Siân eto. Edrychai'n union fel y gath honno yn *Alice in Wonderland* â'i gwên lydan.

'Wyt ti'n fy mhryfocio i?' Surodd wyneb Len.

'Na,' atebodd Dafydd. 'Siân soniodd wrtha i am Smudge.'

'Wyt ti wedi'i weld o o'r blaen?'

'Naddo.'

'Mae o allan ar y cae chwarae o hyd,' meddai'n flin. 'Be 'di dy gêm di?'

'Be mae Dafydd yn trio'i ddweud ydi . . .' dechreuodd Siân.

'Dwi'n gwybod yn union be dwi'n trio'i ddweud!' brathodd Dafydd yn ddiamynedd. Roedd o wedi blino ac roedd ganddo gur yn ei ben. 'Eisio gweld y gath dw i!'

'Meddwl oedden ni,' aeth Siân ymlaen, 'y bydden ni'n hoffi cael cath. Mae'ch Smudge chi wedi cael wmbreth ohonyn nhw, yn dydi? Ydi hi am gael mwy?'

Tawelodd Len. 'O, dwi'n gweld! Ydi. Fydd 'na dor ohonyn nhw unrhyw ddiwrnod nawr.' Edrychodd yn fwy caredig arni ond anwybyddodd Dafydd yn llwyr. 'Wyt ti eisio un?'

'Os bydd Mam yn fodlon,' atebodd Siân. Ond gwyddai yn ei chalon na fyddai hi ddim. Byddai'n rhaid egluro hynny i Len yn nes ymlaen. 'Tydi bywyd yn boen, weithia? meddyliodd.

Roeddwn i eisio gofyn rhywbeth arall hefyd . . .'

'Ia?'

'Am berthynas i ni.'

'O, ia?' Edrychai Len yn ddrwgdybus ac anghyfeillgar eto.

'Arthur. Dwi'n trio ysgrifennu amdano yn fy mhrosiect ysgol.'

'Pwy?'

'Arthur. Hen ewythr i Mam. Dwi'n meddwl mai Jackson oedd ei ail enw. Roedd o'n dipyn o gymeriad, yn ôl pob sôn. Meddwl oeddwn i y buasech chi'n 'i nabod o. Adeg rhyfel? A chithau'n blentyn?' Petrusodd wrth weld olwg o gydnabyddiaeth yn ei lygaid. Ond doedd yr olwg ddim yn un hapus iawn.

'Roeddech chi *yn* 'i nabod o felly,' meddai'n frysiog cyn iddo wadu'r peth.

'Sut wyddost ti hynny?'

'Yr olwg ar eich wyneb,' atebodd hithau'n fwyn. Gweddïodd na fyddai Dafydd yn rhoi ei bwt i mewn. 'Rhyw arlliw o gofio arno fo.'

Edrychodd Len arni'n syn. 'Wel—efalla na ddyliwn i ddweud llawer am Arthur Jackson.'

'Rydan ni'n gwybod yn barod ei fod o'n ddihiryn.'

'Oedd!' Chwaraeodd gwên fach ar ei wefusau, ond diflannodd yn eitha sydyn. 'Lleidr ar y naw oedd o, a dweud y gwir. Ac yn chwedl o leidr yn y dre 'ma. Roedd fy mrawd hyna'n ei nabod o'n dda.'

'Dwyn arian o fanciau ddaru o?' gofynnodd Dafydd.

'Ia,' meddai Len, yn cydnabod Dafydd am y tro cyntaf.

'Oedd eich tad yn 'i nabod o?' gofynnodd Siân.

'Ddim o gwbl!' oedd yr ateb pendant.

'Be rydan ni eisio'i wybod fwya,' meddai Dafydd yn blwmp ac yn blaen, 'ydi . . . gafodd o ei lofruddio?'

'*Ei lofruddio?*'

'Gan ddyn o'r enw Ron.'

Ysgubodd olwg o sioc enbyd dros wyneb crychiog Len. Astudiodd Siân ef yn fanwl. Pam oedd o'n ymateb fel'na i gwestiwn Dafydd?

Stryffaglodd Len i'w reoli ei hun. 'Naddo. Chafodd Arthur mo'i lofruddio!'

'Ydach chi'n siŵr?'

'Berffaith siŵr! Cael trawiad ar y galon ddaru o.'

'Pan gafodd ei fygwth gan gyllell?' brathodd Dafydd yn llym.

'Does gen i'r un syniad!' Ond roedd y sioc yn ei lygaid yn cynyddu.

'Diwrnod cyrch awyr?' Daliodd Dafydd ati.

Ysgydwodd Len ei ben. 'Cyn belled ag y gwn i, roedd o ar ei ben ei hun yn y lloches. Efo'r ci.'

Dydi hynny fawr o help, meddyliodd Dafydd. 'Oeddech chi'n nabod y Ron 'ma?' gofynnodd.

'Ron? Na, doeddwn i'n nabod neb o'r enw Ron.'

Er bod yr efeilliaid wedi cytuno i beidio dweud gair wrtho am yr arian cuddiedig, bu raid i Dafydd agor ei geg fawr.

'Dywedodd Mam fod 'na sôn ei fod o wedi cuddio arian o ladrad banc yn yr hen loches cyrch awyr yn rhywle. Ac mi ddywedodd rhywun arall fod y Ron 'ma wedi trio'i ddwyn. Dweud bod ar Arthur bres iddo.'

Arhosodd am ennyd i wylio'r pryder yn ysgubo dros wyneb Len. Neu ai dychmygu'r peth oedd o?

'Dwi'n gwybod dim am hynny.'

Bu distawrwydd hir. Yna canodd cloch yr ysgol.

'Fedrwch chi mo'n helpu ni mwy, felly?' Roedd Siân wedi cyrraedd pen ei thennyn.

'Na fedra!' meddai'n bendant iawn. 'Ond wyddoch chi be?'

'Wedi cofio rhywbeth arall?' gofynnodd Siân yn obeithiol.

'Ddim am Arthur. Ond rhyfedd i chi sôn am yr hen loches cyrch awyr.'

'Ia?'

'Ma' gen i deimlad fod 'na blant yn tresbasu yno.'

'Ond mae'r lle wedi'i wahardd i ni,' meddai Siân yn gyflym.

'Does neb yn mynd yn agos i'r lle,' ychwanegodd Dafydd.

'Dwi ddim mor siŵr.'

'Pam?'

'Fe ddywedodd y bachgen Gari 'na ei fod o wedi gweld dau o blant yn dod allan o'r lle.'

'O?' Roedd yn rhaid i Siân fod yn ofalus. Wiw iddi daflu golwg rybuddiol i gyfeiriad Dafydd. 'Pa bryd oedd hynny?'

'Wnâi o ddim dweud.'

'Fawr o help felly, yn nac oedd?' meddai Dafydd.

'Es i lawr yno'r bore 'ma,' aeth Len ymlaen. 'Roedd un o'r drysau ar agor, felly caeais i o. Ond dydi o ddim digon da. Dwi am ei fordio i gyd pan gaf afael ar fwy o bren.' Disgynnodd distawrwydd eto. 'Cloch yr ysgol oedd honna. Gwell i chi fynd.'

'Gawn ni un o gathod bach Smudge, felly?' gofynnodd Siân. Gwyddai'n iawn y byddai'i mam yn lloerig, ond fedrai hi ddim gadael pethau fel yr oedden nhw. Ac efallai câi gyfle i holi Len eto.

Nodiodd Len a gwenu arni. Newidiodd y wên ei wyneb yn llwyr. 'Cei, wrth gwrs. Ar yr amod bod dy rieni'n cytuno.'

'Siŵr o wneud!' atebodd Siân.

'Un peth arall . . .'

'Ia?'

'Ocê—roedd gan Arthur Jackson enw da am fod yn rhyw fath o Robin Hood. Ond paid â meddwl ei fod o'n ddyn meddal. Creadur oeraidd, calongaled iawn oedd o—ac yn beryglus hefyd!'

'Mi bryna i fatri newydd o'r torts er mwyn i ni fynd yn ôl i'r lloches heno,' meddai Dafydd. 'Dwi ddim am ddisgwyl am Byrt. Os daw o ohono'i hun, popeth yn iawn, ond allwn ni fynd i chwilio ar ein pennau'n hunain. Dwi eisio gorffen â'r holl beth!'

'Ond be am Len? Roedd o am fordio'r drws i fyny.' Er ei bod hi'n cytuno â Dafydd, roedd yn rhaid iddyn nhw fod yn bwyllog.

'Gwneud smonach o'r holl beth wneith o. Ti'n gwybod mor drwsgl ydi o efo'i waith.'

Syllodd Siân arno'n amheus. Roedd o'n swnio'n rhy hyderus o lawer.

'A be am Gari?'

'Gad Gari i mi. Mi ro i o yn ei le!'

'Na! Paid!' Bu bron iddi wylltio'n gacwn. 'Rhaid i ni fod yn ofalus, neu bydd rhywun yn siŵr o sylwi.' Roedd ganddi hi gynllun gwell. 'Mae'n ddydd Gwener a does dim byd ymlaen ar ôl ysgol heno. Efalla medrwn ni guddio yn rhywle.'

'Y stordy yn yr ystafell ymarfer! Mae'r clo wedi torri ac mae'r drws yn siglo'n agored o hyd—fel yr hen loches.'

'Ocê!' meddai Siân. 'Gwell ffonio Mam a dweud . . . be?'

'Gwneud penyd?'

'Paid â bod yn wirion! Mi wn i—ymarfer ar gyfer y mabolgampau. Cuddio yn y stordy, ac yna trio osgoi Len, ac efallai Gari hefyd.'

'Gari? Yn aros ar ôl ysgol? Ers pa bryd?'

'Efallai wnaiff o. Un busneslyd ydi o. Buase wrth ei fodd tase fo'n ein dal ni.'

'Ocê! Ti'n iawn. A' i i brynu batri amser cinio.'

'Tria bod yn ofalus,' rhybuddiodd Siân. 'Os bydd rhywun yn dy weld di ac yn dechrau amau pethau bydd hi ar ben arnon ni . . . ac Arthur . . . a Byrt . . . a'r Lloches Anifeiliaid.'

Wrth i Siân wthio drws yr ysgol yn agored, safai Mr Decker, y prifathro, o'i blaen.

'Helô. Ychydig yn hwyr heddiw, yn dydach?'

'Sori, syr!' meddai'r ddau yn unllais.

'Rhaid i ni beidio cael disgo os na fedrwch chi godi'r bore wedyn,' meddai'n geryddgar. 'Wrth gwrs, roedd yn rhaid i ni ei gynnal ar nos Iau yn lle nos Wener y tro yma, a dwi eisoes wedi ymddiheuro i'r rhieni. Ond am fod yna gymaint o alw am ddisgo, roedd yn rhaid dibynnu ar gydweithrediad pawb.'

Tynnodd ei wefusau'n ôl mewn parodi o wên. Ond arhosodd ei lygaid yn oer fel carreg.

'Sori, syr,' meddai Siân. 'Fe godon ni'n gynnar iawn heddiw ac roedden ni yma erbyn hanner awr wedi wyth. Eisio cath fach gan Mr Large, y gofalwr oeddwn i, a dechreuon ni siarad.'

'Wela i. Y tro nesaf, gwnewch eich siarad ar ôl ysgol, Siân. Nawr, pam rydach chi'ch dau'n crynu fel yna? Mae'n gynnes y bore 'ma. Gobeithio nad oes annwyd arnoch chi—byddwch yn heintio pawb yn yr ysgol . . .'

Ar yr union foment honno, trotiodd Byrt i fyny a dechrau llyfu arddwrn Siân â'i dafod rhewllyd.

Prysurodd yr efeilliaid i mewn i'r ysgol. Ni ddilynodd y ci. Meddyliodd Dafydd ei fod o wedi mynd ar ôl Mr Decker—i'w swyddfa, efallai. Gwyddai pawb yn yr ysgol ei fod o'n cadw bisgedi Jaffa yno, ac yn bwyta paced cyfan bob dydd ac weithiau mwy. Oedd Byrt yn gwybod am y bisgedi, tybed?

'Dwi'n gwybod be rwyt ti wedi'i wneud!' gwawdiodd Gari amser chwarae.

Ni wyddai Dafydd sut i'w ateb; daeth yr ymosod mor sydyn.

'Am be wyt ti'n rwdlan?'

'Wedi bod yn yr hen loches cyrch awyr wyt ti!' mynnodd Gari. 'Fuost ti ddim o dan y llwyfan o gwbl. Dyna lle gest ti'r gwe pry cop ar dy ddillad. Dwi'n gwybod yn iawn!'

'Sut wyt ti'n gwybod?'

'Gwelais i chi'n dod allan!'

Syllodd Dafydd i fyw ei lygaid. Oedd o'n dweud y gwir, tybed?

'Dan ni 'rioed wedi bod yn yr hen loches,'

84

meddai'n dawel. 'Rwyt ti'n gwybod yn iawn na chawn ni ddim.' Cododd ei lais. 'Oeddet ti'n meddwl mynd i mewn dy hun, Gari? Gwell i ti beidio. Fydd Mr Large yno heddiw yn ei drwsio achos bod un o'r drysau wedi agor.' Arhosodd am ennyd. 'Ti agorodd o?' gofynnodd wedyn.

Roedd y ddau'n sefyll yng nghanol y cae chwarae. Ac wrth glywed llais Dafydd yn codi, casglodd tyrfa o blant o'u cwmpas. Oedd yna frwydr am fod?

'Mi welais i'r ddau ohonoch chi!' mynnodd Gari, wedi'i ddrysu braidd gan agwedd tawel Dafydd.

'Lol i gyd!'

'Na, rwyt ti'n deud celwydd!'

Nesaodd Dafydd ato a'i bwnio yn ei frest. 'Paid â 'ngalw i'n gelwyddgi!' Rhoddodd hwth ychwanegol iddo. 'Paid *byth* â 'ngalw i'n gelwyddgi.'

'Byddi di'n 'i chael hi mewn munud!' mwmianodd Gari.

'Cael be?' Gwthiodd Dafydd yn ei frest yn galetach y tro yma. Rhywbeth peryglus iawn i'w wneud achos roedd Gari'n wydn a chaled. Bu'n ei ymladd o'r blaen, a phrin ennill y ddau dro.

'Mi ga i di!' gwaeddodd Gari gan neidio arno.

Plethodd a gwasgodd y ddau eu breichiau am ei gilydd gan rowlio ar y llawr. Ond gwaeddodd rhywun yn y dorf fod yna athrawes yn dod. Mewn eiliad, roedd pawb wedi gwasgaru, a'r ddau frwydrwr wedi gwahanu ac yn cerdded i ffwrdd fel pe bai dim wedi digwydd.

'Am be oedd hynny i gyd?' hisiodd Siân wrth iddi fynd heibio.

'Rhybudd!' atebodd Dafydd. 'Rhybudd i fod yn ofalus iawn, iawn.'

Ar ôl ysgol y prynhawn hwnnw, cuddiodd yr efeilliaid eu hunain yn y stordy am awr gyfan er mwyn bod yn siŵr bod pawb, athrawon a phlant, wedi gadael yr ysgol. Llusgodd yr amser fel malwen, a chynyddodd y tyndra y tu mewn iddyn nhw. Ond wiw iddyn nhw fentro allan yn rhy fuan.

O'r diwedd, ystwyriodd Siân. 'Be am 'i thrio hi?'

'Ocê! Rhois i fatris newydd yn y torts ac mae'r golau'n gry iawn nawr.'

'Gwell iddo fod!' brathodd Siân. 'Fedran ni ddim fforddio camgymeriad arall.'

Sleifiodd y ddau trwy'r drws ac allan i'r cae chwarae. Lledaenai'r cae fel rhyw anialwch eang o'u blaen. Tybient fod dwsinau o lygaid yn eu gwylio o bob cyfeiriad. Rhai Gari efallai? A ble'r oedd Len Large? Rhewodd y ddau yn eu hunfan am ychydig, yn ofni symud.

'Tyrd,' meddai Dafydd o'r diwedd. 'Gad inni fynd.'

Cerddodd y ddau'n gyflym ar draws y cae chwarae gan deimlo fel petai adeiladau'r ysgol yn eu dilyn ac yn cau amdanyn nhw. Taerai Dafydd fod y neuadd yn agosach, a bod ystafell y boeler a'r sièd feiciau'n nesáu atyn nhw. Symudai cysgodion aneglur ymhob ffenest—cysgodion a llygaid iddyn nhw. Chwythodd awel fach ddarn o bapur hufen iâ ar hyd y cae. Ond yn sydyn, trodd yr awel yn chwa rynllyd o wynt.

Ymddangosodd Byrt o rywle yn chwifio'i gynffon ac yn cyfarth. Er y gwyddai'r efeilliaid yn iawn na fedrai neb arall ei weld, roedd sŵn ei gyfarth bwganllyd yn diasbedain yn eu clustiau, a charlamodd y ddau nerth eu traed ar draws y cae chwarae.

Daliodd y ci i fyny â nhw'n hawdd, ac wrth iddyn nhw gyrraedd y lloches cyrch awyr, taflodd y ddau gipolwg ofnus yn ôl. Doedd yr adeiladau ddim yn symud wedi'r cwbl, ac roedd y gwynt wedi gostegu. Safai adeilad yr ysgol yn hollol ddifywyd, yn union fel pe bai wedi ei dorri allan o gardbord.

'Tyrd yn dy flaen!' hisiodd Siân. 'Rhag i rywun ein gweld ni.'

Rhedodd Byrt yn ysgafn i lawr y grisiau cerrig. Diflannodd trwy ddrws haearn y lloches a'i gynffon yn dal i ysgwyd.

Edrychodd Siân ar y drws. 'Ti'n iawn,' meddai, 'gwaith lletchwith Len Large ydi hwn. Y cwbl mae o wedi'i wneud ydi'i glymu efo rhaff.' Dechreuodd ddatod y cwlwm. 'Fydda i ddim yn hir.' Ymhen eiliadau, agorodd y drws i weld Byrt yn disgwyl amdanyn nhw yr ochr arall. 'Mae'n iawn i ti,' meddai.

Caeodd Dafydd y drws yn ofalus ar eu holau ond ni fedrai ailglymu'r rhaff. Pe deuai Len Large i archwilio, byddai'n gweld ar unwaith fod rhywun wedi mynd i mewn. Gallent ond gobeithio na fyddai'n trafferthu dod draw y noson honno. Unwaith roedden nhw i mewn yn y lloches, caeodd düwch y lle amdanyn nhw. Ailddeffrôdd eu hofn. Fedren nhw fynd trwy'r holl beth eto? Yr arogl ddrwg, y peryglon anhysbys, a Byrt y ci? Oedd o'n ffrind neu'n elyn? Ac wedyn . . . yr Arthur erchyll . . . a'r Ron llofruddiog. Pob un yn disgwyl amdanyn nhw ym mhen draw'r twnnel.

Ond roedd pelydryn cryf y torts yn gwneud y siwrne'n haws y tro hwn, wrth i'r efeilliaid ymlwybro drwy sbwriel degau o flynyddoedd. Sbonciodd Byrt o'u blaenau, gan aros i ddisgwyl amdanyn nhw bob hyn a hyn. Edrychai'n benderfynol iawn.

Wedi cyrraedd pen draw'r twnnel, meddai Siân, 'Wnawn ni ddim trafferthu chwilio yma. Beth am fynd yn syth i'r swyddfa y tu ôl i'r bagiau tywod?' Ar unwaith, roedd Byrt wrth eu hochr yn eu gwthio ymlaen â'i drwyn yn ddiamynedd. Roedd hi fel petai o'n gwybod nad oedd ganddo lawer o amser ar ôl.

Yn wyrthiol, roedd y Swyddfa Reoli y tu ôl i'r bagiau tywod fwy neu lai yn gyfan, er ei bod yn llwch i gyd ac wedi dirywio. Doedd y chwe chadair ddim yno, ond medrent weld y bwrdd mawr, wedi'i orchuddio â bocsys o bob math. Safai'r cabinet ffeiliau yn ei le, ond roedd y bwrdd bach wrth ei ochr wedi diflannu. Ar y mur, crogai'r llun o'r Brenin yn gam, y gwydr yn llaith ac yn llwydni drosto. Ond roedd hi'n dal yn bosib adnabod yr wyneb.

'Dacw Byrt yn ffroeni un o'r bagiau tywod,' meddai Dafydd. 'Tyrd i weld.'

Disgleiriodd ei torts ar y sachau. Roedd rhai yn wag, a dim i'w weld y tu mewn iddyn nhw, ac eraill yn llawn ac yn llaith. Safai Byrt wrth eu hochr yn eu gwylio'n eiddgar. Roedd fel pe'n asesu eu deallusrwydd a'u dyfalbarhad.

'Wela i ddim byd yma,' meddai Dafydd. Chwyrnodd Byrt yn isel yn ei wddf. Doedd hynny ddim yn ei blesio.

Daliodd Siân i chwilio ymysg y bagiau. 'Dos di i edrych yn y cabinet,' meddai, 'tra 'mod i'n chwilio yma. Rhaid i ni fod mor drwyadl ag y medrwn ni.'

'Fuase Arthur byth wedi cuddio dim yn y cabinet,' cwynodd Dafydd. 'Mae o'n rhy amlwg o lawer.' Ond fe dynnodd pob drôr allan i wneud yn siŵr. Roedden nhw i gyd yn wag ac yn llawn llwydni. Cynyddodd ei siom. Ble'r oedd yr arian? Buasai'n taeru ei fod o yma yn y swyddfa yn rhywle.

'Hei! Edrych! Chwifiai Siân bapur yn ei llaw. Papur hwnner can punt a phen y Brenin arno. Cyffrôd y ddau drwyddynt.

'Ble gest ti o?'

'Yn glynu y tu mewn i'r bag tywod gwag 'ma. Mae hynny'n awgrymu y bu mwy ynddo ar un adeg.'

'Ron, ti'n meddwl?'

'Efalla . . . neu Arthur . . .'

'Be wyt ti'n 'i feddwl?'

'Wel, efalla bod Arthur wedi'i symud i guddfan newydd . . .'

Ond daliai Dafydd i fod yn amheus. 'Gallai unrhyw berson fod wedi cael hyd i'r arian . . . unrhyw dro ar ôl y rhyfel. Na, mae popeth drosodd, Siân. Mae'r arian wedi mynd, i ti.'

'Aros funud! Be oedd hwnna?' sibrydodd Siân.

'Golau!' hisiodd Dafydd. 'Cuddia! Len ydi o!'

Ymsythodd Byrt yn fygythiol y tu ôl iddyn nhw. Chwaraeai chwa o aer rhynllyd, cyfarwydd, o'u cwmpas. Camodd y ffigwr ymlaen ac ymlaen trwy'r gwyll. Roedd Dafydd wedi diffodd ei dorts ond roedd yn amau bod rhywun wedi'i weld.

Taflodd olwg yn ôl at Byrt ond roedd amlinell y ci-bwgan yn pylu'n gyflym.

Arhosodd y ffigwr wrth yr hen gegin a fflachio torts dros y rwbel oedd ynddi. Suddodd yr efeilliaid yn is y tu ôl i'r bagiau tywod. Ond ymlaen ac ymlaen y daeth y camau—yn troedio'n syth at eu cuddfan.

'Mae ar ben arnon ni!' meddyliodd Siân, wrth i'r pelydr chwarae ar y bagiau uwch ei phen. Gwasgodd y ddau eu hunain bron yn eu dwbl. Ond safai'r ffigwr du yn union uwch eu pennau ac ysgubodd golau'r pelydr drostynt.

Siân a'i hadnabu gyntaf—y brychau haul yn amlwg ar y croen gwyn gwyn, a'r llygaid enfawr yn rhythu mewn dychryn. *Gari!* Nid Len, ond Gari!

Neidiodd Dafydd ar ei draed, ond cyn i unrhyw beth arall ddigwydd, newidiodd yr holl olygfa. Dechreuodd popeth o'u cwmpas ymdoddi i'w gilydd ac oerodd yr aer. Diflannodd ffigwr Gari i rywle wrth i seiren gwynfanu yn swnllyd. A chlywsent Byrt yn cyfarth yn y pellter.

'Blant!' meddai Miss Perry. 'Blant, rhaid i chi wrando. Mi rydan ni am eistedd yma am ychydig. Leonard!' gwaeddodd yn sydyn. 'Leonard Large! Eisteddwch i lawr a pheidiwch siarad! Dwi ddim eisio dweud yr un peth eto.'

Disgleiriodd bylbiau trydan gwan uwchben. Ac yn eu golau, gwelai Dafydd a Siân blant Miss Perry yn eistedd yn rhesi ar y meinciau pren ac yn

91

syllu arni—ond am un bachgen mawr, tew, ac wyneb mawr, crwn ganddo. Doedd dim dwywaith amdani . . . Len Large oedd o. A doedd o ddim wedi newid dim.

Unwaith eto, roedd mwgwd nwy gan bob un o'r plant. Udodd y seiren tu allan ymlaen ac ymlaen a boddi sŵn Byrt yn cyfarth. Erbyn hyn, llanwyd y twnnel â phobl, pob un wedi'i wisgo mewn côt law neu gôt fawr. Yn amlwg, roedd y tymor wedi newid. Sawl mis a aethai heibio? meddyliodd Siân. A pha ffordd roedd amser wedi symud . . . ymlaen neu'n ôl?

Tawelodd sŵn y seiren. Bu distawrwydd hir, ac yna daeth ffrwydrad anferth—yn agos iawn. Diffoddodd y goleuadau yn y lloches i gyd a throchi pawb mewn tywyllwch hollol.

'Ydach chi'n meddwl y gwnawn nhw daro'r ysgol, Miss Perry?' meddai llais Len.

'Na, dwi ddim yn meddwl,' atebodd hithau.

'Pam, miss?'

'Byddwch ddistaw nawr, Leonard.' Roedd awdurdod a chysur i'w clywed yn ei llais.

Daeth sŵn gweddïo o un o'r twneli.

'Ydi Arthur yn farw, tybed?' sibrydodd Siân. 'Wela i mohono yn unman.'

'Dydan ni ddim yn gwybod ym mha gyfnod o'r rhyfel ydan ni,' hisiodd Dafydd yn ôl.

Syrthiodd cawod o lwch i lawr o'r nenfwd ac roedd rhai o'r plant yn beichio wylo. Dechreuodd Miss Perry ganu.

'O God our help in ages past,
Our hope in years to come,
Our shelter from the stormy blast,
And our eternal home.'

Roedd ei llais yn glir a chryf, a chyn bo hir, ymunodd lleisiau rhai o'r oedolion a'r plant i ganu'r hen emyn. Teimlodd Dafydd a Siân hunanhyder yn cael ei ailsefydlu ym mhawb. Tua diwedd y pennill, ailoleuodd y bylbiau uwchben. Craffodd y ddau i'r cysgodion ar bob llaw i weld a oedd Arthur yno. Oedd o'n fyw neu'n farw? Doedden nhw ddim yn siŵr pa un o'r ddau syniad oedd yn eu dychryn fwyaf.

Yna, er eu syndod, cerddodd Arthur allan o'r gegin yn gwthio'r troli te o'i flaen. Edrychai'n hollol iach.

'Pwy sy am wledd?' meddai, gan wenu ar y plant. Edrychai'n hollol wahanol i'r dyn roedden nhw'n ei adnabod. Yn hapus ac yn hael. Synnodd yr efeilliaid. Roedd yna ddwy ochr i'r dyn od yma.

'Mae gen i ddau focs o fisgedi. Gyda lwc, fe gewch chi un bob un.'

'Fedran ni mo'u fforddio nhw,' meddai Miss Perry'n swta.

'Dim ots! Maen nhw i gyd am ddim.'

'Am ddim?'

'Ydyn. Wedi syrthio oddi ar gefn lori,' sibrydodd Arthur yn gyfrwys. 'Rŵan! Pwy sy eisio un?'

Saethodd dwsinau o ddwylo i fyny.

'Wel, wir!' gwgodd Miss Perry. Ond yna lledodd gwên ar draws ei hwyneb ac meddai, 'Wnaiff y monitor llefrith eu rhannu nhw i bawb. A chadwch y ci 'na dan reolaeth, wnewch chi, Arthur?' meddai'n llym wrth i Byrt neidio am y bocs bisgedi.

'Wel,' meddai Siân. 'Mae o'n dal yn fyw, felly.'

'Dibynnu os ydan ni wedi symud ymlaen mewn amser,' atebodd Dafydd. Roedd yn dal i fod yn wyliadwrus. Teimlai'n annifyr iawn wrth wylio pethau a ddigwyddodd hanner can mlynedd yn ôl. Mewn byd o ysbrydion y byddai'r rhan fwyaf o'r bobl erbyn hyn. Tybed oedd o'n adnabod rhai o'r plant oedd o'i flaen nawr fel hen bobl yn Hockley? Be fuasai eu hymateb nhw petai'n dweud eu hanes yn y lloches wrthyn nhw? Na, ymyrryd ag amser fuasai peth felly. Rhaid cofio ei fod o a Siân ar drugaredd amser. Rhedodd ias oer i lawr ei gefn.

'Dwi'n siŵr ein bod ni,' meddai Siân yn optimistaidd.

'Os felly, mae Ron o gwmpas yn rhywle hefyd,' rhybuddiodd Dafydd. 'Ac os ydi o'n dal yn fyw, mae o'n gwybod am yr arian.'

'Y fo sy wedi'i ddwyn o, felly?'

'Efalla. A pheth arall, wyt ti'n meddwl bod amser yn medru bod yn garedig?'

'Be ar y ddaear wyt ti'n trio'i ddweud?' Edrychodd Siân yn ddryslyd ar ei brawd.

'Dwi'n meddwl ei fod o'n ein cuddio ni. Sylwaist ti sut y cawson ni'n symud pan ymddangosodd Gari?'

'Cyd-ddigwyddiad oedd hynny.'

'Dwi ddim mor siŵr.'

Trodd Dafydd yn ôl i wylio plant Miss Perry efo Arthur. Roedden nhw wrthi'n claddu'r bisgedi ac Arthur yn edrych arnyn nhw yn wên i gyd.

'Dwi'n difaru, braidd, na ches i blant,' meddai wrth Miss Perry. 'Ond rywffordd neu'i gilydd, ches i mo'r cyfle.'

'Rydach chi'n ddyn prysur iawn,' atebodd hithau. Oedd yna ddirmyg yn ei llais? Oedd hi'n gwybod mai lleidr oedd o?

'Mae hynny'n wir.'

'Clywais eich bod chi wedi gwerthu'r siop a'r fan.'

'Do, am elw da,' atebodd Arthur yn falch.

Wel, meddyliodd Dafydd, mi rydan ni yn yr amser iawn, felly. Edrychodd ar Siân a nodiodd hithau.

Trodd Miss Perry at ei phlant. 'Rŵan, rydan ni am ganu efo'n gilydd, yn dydan? Cân hapus, braf.' Agorodd ei cheg a dechrau canu.

'Run, rabbit,
Run, rabbit,
Run, run, run.
Here comes the farmer with his gun, gun, gun.

He'll get by, without his rabbit pie,
So run, rabbit,
Run, rabbit,
Run, run, run.'

Yn raddol, ymunodd pawb yn y twneli yn y gân, a chynyddodd y rhythm a'r sain nes bod y lle'n ysgwyd. Dechreuodd Arthur wthio'i droli te o gwmpas y twnel gan ganu mewn llais bariton dymunol. Wrth iddo fynd heibio Miss Perry, winciodd arni. Winciodd hithau'n ôl.

Pan edrychodd Dafydd ar ei chwaer, gwelodd fod ei llygaid yn llawn dagrau. 'Be sy?'

'Maen nhw i gyd mor ddewr a hapus,' meddai. 'Dwi ddim eisio i 'run ohonyn nhw farw.'

'Mae rhai ohonyn nhw'n dal yn fyw, cofia,' atebodd. 'Ond buase'n well gen i hefyd iddyn nhw aros fel hyn. Heb newid . . . na thyfu i fyny. Ydi hynny'n annheg?'

Ysgydwodd Siân ei phen. 'Na. Dwi'n deall be wyt ti'n 'i feddwl.'

Newidiodd y canu i *The White Cliffs of Dover*. Ac wrth i sŵn y lleisiau chwyddo neidiodd Byrt y ci yn sydyn o un ochr y twnnel i'r llall. Ar yr un pryd, cododd niwl oer, ysgafn o'r llawr, a dechreuodd bwganod Miss Perry a'r plant bylu. Pan gliriodd y niwl, doedd yna neb yn y lloches ond yr efeilliaid.

'Yn union fel tase Byrt wedi bod yn gyfrifol am newid yr olygfa,' synnodd Dafydd.

Arhosodd y ddau yn eu hunfan yn gwrando. Roedd sŵn traed i'w glywed yn cerdded o gyfeiriad y drws allan. Pwy oedd o? Arthur? Ron? Len? Gari?

Nesaodd y camau, yn gadarn ac yn benderfynol, a gallent glywed sŵn traed anifail hefyd—rhaid bod Byrt gerllaw.

Dechreuodd yr oerni o'u cwmpas droi'n annioddefol ac roedd yna sŵn tician uchel i'w glywed hefyd. Ble'r oedd y cloc? Doedd na 'run i'w weld yn unman. Ond cofiodd Siân yn sydyn am y cloc a welsai ar fur y neuadd noson y disgo. Tybed a oedd amser yn trio'u rhybuddio nad oedd lawer ohono fo ar ôl?

Y funud nesaf, cyrhaeddodd Arthur yn wlyb domen, a'i wên wedi diflannu. Roedd ei olwg gas yn ôl, ond eto, edrychai'n sâl hefyd. Y tu ôl iddo trotiai Byrt a golwg wlyb a thruenus arno. Cariai Arthur fag canfas mawr a sip i lawr un ochr, ac roedd yn amlwg ei fod wedi bod yn rhedeg. Ymladdai am ei wynt, ac roedd ei wyneb mor wyn a chwyslyd â thoes gwlyb.

Anelodd yn syth am y Swyddfa Reoli. Dilynodd yr efeilliaid ef, a Byrt wrth ei sodlau fel petai'n ceisio'u corlannu fel defaid. Roedd wal gefn y swyddfa wedi ei hadeiladu o gymysgedd o bridd caled a cherrig mawr, a châi ei dal i fyny gan fagiau tywod a pholion. Safodd Arthur yno am ychydig yn gwrando, er mwyn bod yn gwbl sicr nad oedd neb wedi'i ddilyn i'r lloches. Pan ddechreuodd Byrt swnian, arthiodd arno i dawelu.

Pan oedd yn fodlon nad oedd neb yn y twnnel, estynnodd Arthur at garreg fawr oedd yn sownd yn y wal. Dechreuodd weithio arni. Yn araf, a chydag ymdrech fawr, tynnodd hi'n glir. Cychwynnodd ar garreg arall, ac un arall. Ymhen hir a hwyr, roedd wedi gwneud twll digon mawr yn y wal i fedru rhoi ei fraich i mewn.

Taflodd olwg wyliadwrus dros ei ysgwydd. Gwrandawodd. Yna neidiodd mewn dychryn, ac ar frys mawr, ceisiodd wthio'r cerrig yn ôl i'w lle. Gweithiodd fel melin wynt. Ond roedd yr holl ymdrech yn dipyn o straen arno—heb sôn am y boen o ddyfalu pwy oedd yn dod i lawr y twnnel.

Clustfeiniodd Siân a Dafydd hefyd, ond fe wnâi Arthur gymaint o sŵn, roedd yn amhosibl clywed. Roedd o'n chwythu ac yn ymladd am ei wynt. Trodd lliw ei wyneb o does gwyn i biws hyll. O'r diwedd, medrodd wthio'r garreg olaf yn ôl i'w lle, a rhwbiodd ei ddwylo fel peth gwyllt i gael gwared â'r baw. Gwelodd ddesgl golchi llestri yn ymyl yn hanner llawn o ddŵr. Trochodd ei ddwylo ynddi a'u sychu ar fryd ar dywel.

Daliai i anadlu'n llafurus wrth iddo gerdded yn simsan o'r swyddfa ac allan i'r darn agored. Dilynodd Byrt ef yn llawn cynnwrf—ac yna'r efeilliaid. Pwysodd Arthur yn erbyn y mur agosaf, yn dal i glustfeinio, a'i wyneb yn cael ei dynnu bob sut gan boen. Chwyrnodd Byrt yn isel, a chododd y blew ar ei war.

Daeth smic bach o sŵn o berfeddion y twnnel. Roedd hynny'n ddigon i Arthur. Tagodd . . . gwaeddodd . . . a chan afael yn ei frest, plygodd yn ei ddau ddwbl. Am rai eiliadau, a chydag ymdrech fawr, medrodd sythu, ond yr eiliad nesaf, syrthiodd ar ei wyneb ar y llawr dan riddfan. Gorweddodd yno'n hollol lonydd. Syllodd yr efeilliaid arno mewn dychryn, yn methu coelio'u llygaid. Camodd Byrt at ei gorff a llyfu ei wddf. Ond doedd yna ddim arwydd o fywyd.

Oedd o wedi marw? Penliniodd y ddau wrth ei ochr. Ceisiodd Dafydd deimlo'i arddwrn ond aeth ei fysedd yn syth drwyddo. Digwyddodd yr un peth i Siân wrth iddi hi deimlo ochr ei wddf. Cynyddodd yr oerni wrth i Byrt druan lyfu eu dwylo, gan erfyn arnyn nhw â'i lygaid mawr brown i wneud rhywbeth . . . unrhyw beth, . . . i achub ei feistr.

Cyflymodd tician cloc amser nes iddo gyrraedd uchafbwynt, ac yna peidiodd yn gyfan gwbl. Lledaenodd distawrwydd llethol dros y lloches nes i hwnnw hefyd ymddangos yr un mor fyddarol.

Daeth sŵn o'r twnnel eto. Roedd rhywun yn symud yn araf a phwyllog tuag atyn nhw. Safai Byrt wrth ochr Arthur yn dal i'w lyfu, ond cododd y blew ar ei war pan ddaeth Miss Perry i'r golwg. Edrychai hi'n hynod o ofnus.

'Arthur?' meddai. 'Arthur? Gwelais chi'n rhedeg i mewn i'r lloches. Doeddech chi ddim yn edrych yn dda o gwbl. Ac aeth car heddlu heibio . . .'

Chwyrnodd Byrt yn filain.

'Ydach chi'n iawn, Arthur?' Camodd yn nes. 'Arthur?'

Ni ddaeth ateb. Wrth iddi nesáu, gwelodd ei gorff ar y llawr. Rhuthrodd ato gan anwybyddu bygythion Byrt. Penliniodd wrth ei ochr a llacio'i goler. Yna ebychodd rywbeth na fedrai'r efeilliaid mo'i glywed, a chododd yn sigledig ar ei thraed.

'A' i i chwilio am help! Y funud yma!'

Rhedodd yn ôl i'r twnnel a dechreuodd Byrt gyfarth yn ffyrnig.

'Sut fedrwn ni gyrraedd ato?' gofynnodd Siân. 'Rhaid i ni drio rywffordd.'

'Wyt ti'n gwybod yn iawn na fedran ni,' atebodd Dafydd. 'Mae o wedi marw ers blynyddoedd maith. Rydan ni newydd weld sut y bu o farw. Does 'na ddim y medran ni 'i wneud ynghylch y peth.'

'Dwi ddim eisio'i adael o yma ar ei ben ei hun.'

'Paid â phoeni! Fydd Miss Perry yn ôl yn fuan efo help.'

Arhosodd Byrt wrth ochr Arthur gan lyfu ei wyneb a swnian bob yn ail. Yna'n sydyn, gadawodd ei feistr a dod at y ddau. Chwifiodd ei gynffon fel pe bai'n gofyn am help.

'Does 'na ddim y medrwn ni 'i wneud,' beichiodd Siân, a dagrau'n powlio o'i llygaid.

'Dydan ni ddim yn yr amser iawn,' ychwanegodd Dafydd, er y gwyddai nad oedd yn bosib i'r ci ddeall.

Ond doedd y Labrador ddim am roi'r gorau iddi. Neidiodd a rhoi ei bawennau ar ysgwyddau Dafydd, ac yna dechreuodd ei siglo'n ôl ac ymlaen. Gwnaeth yr un peth gyda Siân. Yn ddirybudd, llenwyd eu clustiau a sŵn hisian mawr, yn union fel aer yn dianc o deiar beic. Pylodd popeth yn y lloches a disgynnodd düwch amdanyn nhw. Cynyddodd y sŵn hisian.

'Be sy'n bod arnoch chi'ch dau? gofynnodd Gari. 'Wedi gweld bwgan?'

Roedd ei wyneb brychog yn llwyd ac ofnus, yn union fel y gadawson nhw o oriau'n ôl—os oedden nhw wedi'i adael o gwbl. Roedd unrhyw beth yn bosib yn y lloches.

'Be wyt ti'n 'i wneud yma?' Swniai Siân yn feirniadol iawn. 'Dwyt ti ddim i fod yma.'

'Titha chwaith!' atebodd Gari, gan anelu pelydr y torts yn syth i'w hwynebau.

'Gwylia dy hun!' bygyrthiodd Dafydd, ond daliodd Siân ef yn ôl. 'Mae gynnon ni reswm da dros fod yma. Wyt ti'n gaddo na wnei di ddweud gair wrth neb? Os wyt ti eisio rhan, hynny ydi.'

'Rhan? Rhan o be?' gofynnodd Gari'n ddrwgdybus, ond eto â rhywfaint o ddiddordeb.

'Wel, ychydig o ddiwrnodau'n ôl, gwelson ni Len Large, y gofalwr, yn dod allan o'r lloches— ac yn edrych yn siomedig iawn.'

'Siomedig?'

'Paid â thorri ar fy nhraws,' dwrdiodd Dafydd. Edrychodd Siân arno'n syn. Be ar y ddaear oedd ar ei ben o? Yn tynnu Len druan, dyn hollol ddiniwed, i'r fath stori asgwrn pen llo. A oedd o'n byrlymu i ddweud y peth cynta a ddeuai i'w ben? Fel arfer!

'Wnaethon ni 'i ddilyn o,' meddai Dafydd, yn benderfynol o greu stori dda, 'ac edrych i mewn trwy ffenest ei dŷ. A dyna lle'r oedd o'n cyfri bwndel o bres papur. Wel, ar ôl hynny, aethon ni i lawr i'r hen loches a chawson ni hyd i fwy. Maen nhw'n deud y gwnaiff y banc dalu gwobr dda iawn amdanyn nhw. Os wnei di gadw dy geg ar gau ynghylch yr holl beth, cei di ran ohono fo.'

Syllodd Gari'n gyfrwys arnyn nhw. 'Sut fedra i dy goelio di?'

'Dyma'r prawf i ti!' Chwifiodd Dafydd yr hen bapur hanner can punt a gawsai gan Siân dan ei drwyn. Safodd llygaid Gari allan o'i ben.

'W-aw! Ydi hwnnw'n un go-iawn?'

'Ydi, siŵr iawn! Ond bydd yn rhaid i ni gael hyd i'r gweddill cyn i Len gael gafael arno.'

'Sut fydd o'n gwybod lle i edrych?'

Gwelai Siân nad oedd Gari am lyncu stori Dafydd yn gyfan gwbl, a doedd hi ddim yn siŵr a oedd hi'n falch ai peidio.

'Roedd Len yn yr ysgol yma fel plentyn, adeg rhyfel,' atebodd Dafydd, 'ac efallai ei fod o wedi gweld neu glywed rhywbeth 'radeg hynny.'

Simsanodd Gari. 'Y wobr 'ma—fydd hi'n un fawr?'

'Dylai fod. Ond os agori di dy geg fawr, chei di ddim ohoni.'

'Sut wyt *ti*'n gwybod lle i edrych, felly?'

'Rydan ni'n meddwl ein bod ni'n gwybod yn union lle mae o.'

'Lle?'

'Chei di ddim gwybod hynny,' atebodd Siân yn swta. 'Dydan ni ddim yn ymddiried ynot ti.'

Meddyliodd Gari dros y peth. 'Faint o amser ydach chi eisio?'

'Un diwrnod arall.'

'Pam na fedrwn ni fynd rŵan?'

'Am fod Len yn dod yma heno. Mae o'n gwybod bod rhywun wedi datod y rhaff.'

'Y chi?'

'Ia.' Roedd Siân wedi penderfynu cefnogi ei brawd. 'Dydan ni ddim eisio cael ein dal, felly fory amdani.'

'Ga i ddŵad?'

'Na chei! Mae tri yn ormod. Ond os wnei di gadw'n ddistaw am y peth, cei drydedd ran o'r wobr. ''Tê, Dafydd?'

'Ia, bosib,' cytunodd Dafydd yn gyndyn.

'Iawn. Dwi efo chi, felly!' meddai Gari, ond o'r olwg slei ar ei wyneb, gwyddai'r efeilliaid na feiddient ymddiried ynddo.

Yna cafodd Dafydd syniad. 'Mae'n fudr ofnadwy i lawr 'ma, yn dydi?'

'Be wyt ti'n 'i feddwl?'

'Pam wyt ti mor lân? Yn fwriadol? I gael esgus dy fod ti wedi'n gweld ni'n dod allan o'r lloches?'

'Fuaswn i byth yn gwneud hynny. Rydan ni wedi taro bargen, yn do?'

'Mi wnawn ni'n siŵr, felly!' Neidiodd Dafydd arno a'i ddymchwel i'r llawr. Rowliodd y ddau drosodd a throsodd yn y llwch a'r rwbel. Penliniodd Dafydd ar frest Gari. 'Dwyt ti ddim mor lân rŵan. Os daw Len yma mi fyddi ditha yn yr un twll â ni.

Yng nghanol y sgarmes, daeth llais cyfarwydd o'r twnnel.

'Hei! Be sy'n digwydd fa'ma?'

Roedd Len Large ar ei ffordd i lawr y twnnel cyntaf a thorts pwerus yn ei law.

'Am y drws allan!' sibrydodd Siân. 'Rŵan!'

Rhedodd y tri nerth eu traed i lawr y twnnel arall. Wiw iddyn nhw ddangos golau er eu bod nhw'n baglu dros bob math o bethau. Siân oedd ar y blaen ac yn cael hyd i'r ffordd yn wyrthiol. Doedd hi erioed wedi rhedeg mor gyflym o'r blaen.

'Unwaith y cyrhaeddwn ni'r drws,' ebychodd Dafydd gan ymladd am ei wynt, 'allan â ni o'r ysgol cyn gynted â phosib, a gwahanu . . .'

'Ocê,' cytunodd Gari, ond ar y gair, baglodd dros hen feic a syrthiodd i'r llawr.

'Cod, wnei di!'

'Fedra i ddim!'

'Rhaid i ti!' mynnodd Siân. Roedd hi'n ofni gweld Len yn carlamu tuag atynt a phelydr ei dorts yn dangos yn union pwy oedden nhw.

'Mae 'nhroed i'n sownd!'

Teimlodd Siân a Dafydd am ei droed yn y tywyllwch. Ond y cwbl a wnaethon oedd tynnu un o'i dreiners i ffwrdd.

'Y llall!' griddfanodd Gari. Chwiliodd Siân eto a chafodd hyd i'r droed iawn y tro yma. Gydag ymdrech, llwyddodd i rwygo'r hen ffrâm beic i ffwrdd. Cododd Gari'n sigledig ar ei draed.

'Dydi'r drws ddim yn bell,' sibrydodd Siân yn groch. 'Fedra i weld y golau. Dos yn dy flaen.'

Herciodd Gari'n araf tuag ato.

'Bydd Len yma unrhyw funud!' hisiodd Dafydd.

Trodd herc Gari yn sbrint.

O'r diwedd, cyrhaeddodd y tri y drws yn ddiogel, ac allan â nhw i'r awyr iach. Wedi taflu un olwg wyliadwrus o gylch y cae chwarae, rhedodd y tri am giât yr ysgol ac i'r stryd. Roedden nhw'n fudr, yn flêr, ac yn ymladd am eu gwynt, ac fel y gellid disgwyl, arhosai rhai o'r bobl a gerddai heibio i graffu'n syn arnyn nhw. Ofnai'r efeilliaid y bydden nhw'n dechrau gofyn cwestiynau.

Yn wyrthiol, roedd eu mam allan wedi iddyn nhw gyrraedd y tŷ. Roedd wedi gadael neges yn dweud ei bod hi am alw i weld ffrind ar ôl gwaith, ac felly cawson nhw gyfle i ymolchi a chael gwared â'r rhan fwyaf o'r llwch a'r baw—un enwedig oddi ar ddillad Dafydd ar ôl ei sgarmes ar lawr y lloches.

'Wyt ti wedi meddwl sut fedran ni groesi'r cae chwarae ar fore Sadwrn heb i neb ein gweld ni?' gofynnodd Siân. 'Bydd yn rhaid i ni gychwyn yn gynnar iawn. Gyda llaw, un gwael oeddet ti yn sôn am Len Large fel yna, a hwnnw, druan, heb wneud dim. Dydi o ddim yn droseddwr!'

'Be am doriad gwawr?' meddai Dafydd, yn eistedd o flaen pentwr o dost a chan o *coke*. Ni fyddai ei dad adre am awr arall, felly roedd ganddyn nhw ddigon o amser i gynllunio. 'Ac am

Len . . . wel, dwi ddim mor siŵr. Gallai fod wedi cofio rhywbeth am Arthur a'r arian, ac wedi bod yn chwilio ar ei liwt ei hun.'

'Na, dwi ddim yn meddwl,' meddai Siân yn bendant, a phenderfynodd Dafydd newid y sgwrs er mwyn osgoi dadl.

'Mae Mam a Dad yn cysgu'n hwyr ar fore Sadwrn,' meddai. 'Be am ddweud ein bod ni'n cyfarfod ffrindia i fynd i sglefrio? Mae'r rinc yn agor am wyth y bore.'

'Iawn,' cytunodd Siân gan frathu'n ddwfn i'w phedwerydd darn o dost.

'Mae'n bosib bod Len wedi bod yn chwilio'r lloches ers blynyddoedd,' synfyfyriodd Dafydd. Roedd yn teimlo'n well o lawer wedi cael llond bol o fwyd. 'Dwi'n siŵr ei fod o'n gwybod am Arthur a'r arian. Ac wedi methu cael hyd iddo.'

'Sut cei di wybod os ydi o neu beidio?'

'Gofyn iddo fo, efalla.'

'Be? Mynd ato fo a dweud, "Ydach chi wedi cael hyd i'r arian yn y lloches?" . . . neu . . . "Ydach chi'n dal i chwilio, Len?" gwawdiodd Siân. 'Efallai fod Ron wedi cael hyd iddo. Allwn ni ddim bod yn siŵr bod yr arian yn dal yno, na bod Len wedi bod yn chwilio amdano. Na, rydan ni'n rhy hyr i wneud dim!'

Gwgodd Dafydd. 'Fase Byrt ddim wedi cysylltu â ni tase'r arian wedi mynd. Na, mae'n ormod o gyd-ddigwyddiad. Meddylia! Y Lloches

Anifeiliaid heb bres—yr achos agosa i galon Arthur—a bwgan Byrt yn ymddangos i ni yn yr ysgol. Mae 'na gysylltiad, dwi'n siŵr.

Nodiodd Siân yn araf. Roedd yr holl beth yn dechrau gwneud synnwyr.

'A Gari? Be amdano fo?'

'Mae o'n siŵr o gau ei geg os caiff o ran yn beth bynnag fydd ar gael,' atebodd Dafydd. 'Un felly ydi o. A be fedra fo brofi, beth bynnag?'

'Dydi o ddim yn ymddiried ynon ni o gwbl,' meddai Siân. Roedd hi wedi blino'n ofnadwy ac yn dyheu am gael cysgu, ond roedd yn hanfodol bwysig eu bod nhw'n nabod pob rhwystr o'u blaen.

'Dydan ni ddim yn ymddiried yno fo, chwaith,' meddai Dafydd. 'Dwed rywbeth newydd wrtha i.'

'Be tase fo'n cuddio fory, ac yn ymosod arnon ni?'

'Gad betha felly tan y bore,' atebodd Dafydd. 'A chofia fod Byrt ar ein hochr ni.'

'Dydi o lawer o iws mewn argyfwng, yn nac ydi? Ci ydi o—ac yn waeth byth, ci-bwgan!'

'Efalla.' Swniai Dafydd yn fwy hyderus. 'Ond cofia hyn. Gwelson ni Arthur yn marw. Mae Byrt ar ei ben ei hun rŵan.'

11

Cymerodd Dafydd amser hir i fynd i gysgu'r noson honno. Ac wedi cysgu, breuddwydiodd am Byrt.

Safai'r ci yn ymyl ei wely ac Arthur wrth ei ochr. Edrychai Arthur yn iach, yn gyfeillgar, ac yn wên i gyd, a doedd yna ddim o'r oerni arferol i'w deimlo. Gwisgai Arthur siwt dywyll a charnasiwn yn nhwll y botwm. Roedd wedi siafio'n lân, a'i wallt yn sgleinio'n llyfn ag olew.

'Ti'n gwybod lle mae o, yn dwyt?' meddai wrth Dafydd. 'Dos i'w nôl o! Rhaid achub y Lloches Anifeiliaid. A ti ydi'r un i wneud hynny.'

Moesymgrymodd o'i flaen a dechrau hanner dawnsio allan o lofft Dafydd dan ganu.

'I'll trust you, if you'll trust me,
And we'll meet again by the old oak tree.'

Roedd y dôn yn un rythmig, hudolus, a chafodd Dafydd ei hun yn canu'r gân efo fo. Eisteddodd Byrt yn ôl, codi'i goesau blaen a chwifio'i bawennau yn yr awyr. Arhosodd Arthur ar ddiwedd y gân a dweud, 'Ti'n gwybod lle mae'r hen goeden dderw, yn dwyt, Daf?'

'Yn y stryd y tu allan i'r ysgol,' clywodd ei hun yn ateb.

'Mae hi'n tyfu yno ers blynyddoedd maith—ymhell cyn fy amser i.'

Dechreuodd ddawnsio allan trwy ddrws y llofft eto, a dilynodd Byrt ef. Yna trodd yn ôl a dweud, 'Wnei di mo 'nhwyllo i, yn na wnei?' Ac ar y gair, chwythodd aer rhynllyd o oer dros wely Dafydd.

Deffrôd yn swta a geiriau olaf Arthur yn diasbedain yn ei glustiau. Gwelodd ei bod hi'n hanner awr wedi saith. Neidiodd o'i wely, gwisgo, a rhedeg i lawr y grisiau. Roedd Siân yn y gegin yn prysur gwneud tost ac yn hymian cân fach adnabyddus.

> *'I'll trust you, if you'll trust me,*
> *And we'll meet again by the old oak tree.'*

'Cefaist ti'r un freuddwyd â mi felly?'

'Do,' gwenodd Siân. 'Roedd Arthur yn fy llofft i efo Byrt, a doeddwn i ddim yn teimlo'n oer o gwbl.'

'Na finna.'

'Roedd golwg smart arno fo efo'r blodyn 'na yn nhwll y botwm. Mi ddywedodd mai fi oedd yr un i achub y Lloches Anifeiliaid.'

'A finna.'

'Ond wedyn, pan drodd yn ôl efo rhybudd, aeth popeth mor oer . . .'

'Dwi'n gwybod y gweddill!' meddai Dafydd yn frysiog.

'Mae 'na ddau fath o Arthur, yn does?' meddai Siân yn feddylgar. 'Rhaid i ni wylio rhag yr un drwg.'

Wrth iddyn nhw gerdded heibio'r ysgol y bore hwnnw, gwelodd Dafydd ar unwaith fod ganddyn nhw broblem.

'Weli di nhw?' sibrydodd.

'Sh-sh!' hisiodd Siân. 'Tyrd i guddio!'

Safodd y ddau y tu ôl i foncyff llydan y dderwen fawr y canodd Arthur amdani yn y freuddwyd, i wylio a gwrando.

'Dyna be dwi'n trio'i ddweud,' meddai Gari. 'Maen nhw'n chwilio am yr arian. Yr un arian rwyt ti'n chwilio amdano fo.'

'Dwi'n difaru 'mod i wedi agor fy ngheg o gwbl,' grwgnachodd Len, 'yn enwedig i rywun twp fel ti. Ond cael sioc wnes i pan ofynnaist ti am y lladrad arian.'

'Diolch am ddim byd!' oedd ymateb Gari.

'Y peth ydi, nad ydyn nhw i fod i lawr yn y lloches o gwbl. Ond sut fedra i brofi'r peth heb eu dal nhw yn y fan a'r lle?'

'Be tase nhw'n gwybod yn union lle mae'r arian?'

'Sut fedren nhw?'

'Hen ewythr i'w mam nhw oedd Arthur. Be tase'r gyfrinach wedi'i basio i lawr trwy'r teulu . . .?'

'Paid â siarad yn dwp! Basen nhw wedi cael hyd iddo flynyddoedd yn ôl.'

'Ond be tasen nhw ond newydd gael gwybod lle mae o?' mynnodd Gari eto.

'Sut?'

'Cael hyd i neges mewn bocs neu hen gist neu rywbeth . . .'

Chwarddodd Len yn wawdlyd. 'Neu mewn potel, efalla?'

'Ond mi fydd 'na wobr am gael hyd iddo, yn bydd?'

'Efalla.'

'A nhw geith o! A rhoi'r arian i'r Lloches Anifeiliaid—fel roedd Arthur eisio.'

'Sut wyt ti yn gwybod cymaint am y peth?' holodd Len.

'Taid ddywedodd wrtha i. A phan welais i'r ddau'n dod allan o'r hen loches, dyma fi'n adio dau at ddau.'

'Ac yn gwneud pump siŵr o fod!' Ond roedd Len yn dechrau dangos diddordeb.

'Wyt ti eisio fy help i neu beidio?' gofynnodd Gari'n bowld. 'A mynd am y pres?'

'Aros funud . . .'

'Mi rannwn ni'r wobr. Y cwbl sy eisio i ni 'i wneud ydi gwylio a disgwyl . . . a'u dal nhw!'

'Dwi ddim am adael i neb dresbasu yn yr hen loches 'na,' meddai Len yn bendant, 'neu mi fydda i'n siŵr o golli fy swydd.'

'Be ydan ni am 'i wneud, felly?' gofynnodd Gari'n awyddus.

'Dos adre, ac os gwela i rywbeth yn digwydd, mi ffonia i di.'

'Wyt ti'n siŵr mai dyna'r peth gora?' gofynnodd Gari'n ddrwgdybus.

'Ydw! Rhaid i ti ymddiried ynof fi.'

Syllodd Gari arno'n amheus, yn amau'n fawr a fyddai'n medru gwneud y fath beth.

Ar ôl i Gari fynd, cerddodd Len yn araf i lawr at ddrws y lloches. Wedi ffidlan efo'r rhaff am funud neu ddau, agorodd y drws ac aeth i mewn.

'Be rŵan?' gofynnodd Siân.

'Be fedrwn ni 'i wneud?' atebodd Dafydd yn siomedig. 'Mae Len yn y lloches a wiw i ni ei ddilyn. Pan ddaw o allan, bydd Gari'n siŵr o ymddangos. Betia i di ei fod o'n cuddio yn rhywle.'

Crynodd Siân. 'Mae'n oer, yn dydi?' meddai.

Gwelodd fod Dafydd yn crynu hefyd. Trawodd chwa o wynt rhynllyd nhw'n sydyn, a'i gwneud hi'n anodd anadlu.

'Dwi'n siŵr bod Byrt ar ei ffordd yn rhywle!' ebychodd Dafydd.

Ar y gair, trotiodd Byrt rownd y gornel. Dechreuodd Siân arswydo. Be tase Arthur yn troi yn eu herbyn—a meddwl eu bod nhw am gadw'r arian? Roedd o'n ddyn mor enbyd—un funud mor gyfeillgar, a'r funud nesaf mor gas. Pa un o'r ddau oedd o heddiw, tybed?

113

'Byrt.' Penliniodd Siân wrth ei ochr. 'Fedri di'n helpu ni?'

'Mae o wedi gwneud eisoes!' meddai Dafydd yn sydyn. 'Dwi wedi cael syniad da. Beth am ganu cloch yr ysgol? Gwelais Len yn ei chanu droeon, ac mae'r gloch yn ei swyddfa yn yr ysgol. Efalla wnaiff y sŵn ei dynnu allan o'r lloches.'

'Ddim am gyfnod digon hir,' cwynodd Siân. 'Ei diffodd hi wneith o a mynd yn ôl.'

'Aros funud! Mae 'na glo ar y drws. Ydi o'n cloi o'r tu allan, tybed? Tyrd yn dy flaen! Mae'n hamser ni'n brin!'

Dilynodd Siân ei hefell yn anfodlon. Oedd o wedi cysidro'r canlyniadau? Medrai'r rheini fod yn ddifrifol iawn.

Eisteddai Byrt ar ei ben-ôl yn edrych yn gas arni. Tybed oedd o'n synhwyro'i hofn, ac yn meddwl y bydden nhw'n ei siomi?

12

Rhedodd yr efeilliaid ar draws y cae chwarae, i mewn trwy ddrws yr ysgol, ac i lawr y coridor at swyddfa Len. Lle bychan, tywyll oedd o, heb ffenest, ond gyda desg, cadair, cabinet ffeiliau, cwpwrdd yn llawn o offer glanhau, basged i Smudge y gath, a chloch drydan henffasiwn.

'Wyt ti'n gwybod sut i weithio hon?' gofynnodd Siân yn amheus.

'Ydw,' atebodd Dafydd. 'Ond y broblem fwya ydi sut i'w gloi o i mewn.'

'Aros funud! Gwell i ni dynnu plwg y ffôn allan yn gynta.' Chwiliodd Siân amdano a'i dynnu o'r wal. Cuddiodd y ffôn dan dwmpath o bapurau yn y bin sbwriel, ac wrth iddi wneud hynny, sylweddolodd gymaint o ofn Byrt oedd arni. Teimlai ei wylltineb y tu mewn iddi, yn ei gyrru ymlaen.

'Os cuddiwn ni y tu ôl i ddrws y neuadd,' meddai wedyn, 'wnaiff Len ddim gweld pwy sy'n 'i gloi o i mewn. Mi awn ni â'r allwedd efo ni. Ydi hi'n ffitio?'

'Ydi.'

'Pwy sy'n mynd i'w wneud o?'

'Be am daflu ceiniog?'

'Ocê,' atebodd Siân.

Palfalodd Dafydd yn ei boced a thynnodd geiniog allan. 'Reit! Pen y frenhines i mi, a'r ochr arall i ti.'

Taflodd y geiniog i'r awyr ac wrth iddi ddisgyn ar y llawr, rhoddodd ei droed arni. Llyncodd ei boer yn galed wrth weld mai pen y frenhines oedd wyneb i fyny.

'Barod?'

Roedd bys Siân ar y botwm. Atseiniodd sŵn y gloch trwy'r ysgol wag. Rhedodd y ddau i guddio y tu ôl i ddrws y neuadd gan sicrhau na fyddai neb yn medru'u gweld o'r coridor.

Buont yn disgwyl am amser maith. Ble'r oedd o? Oedd o'n clywed y gloch o'r lloches? Taflodd Dafydd gipolwg ar ei wats. Roedd pum munud gyfan wedi mynd heibio a'r gloch yn dal i ganu. A dim hanes o Len. Ond y funud nesaf, clywsant sŵn traed yn rhedeg.

'Rŵan!' meddai Siân wrth iddi glywed clep drws y swyddfa'n cau. Diolch i'r nefoedd am hynny! Ni fyddai'n gweld pwy oedd yn ei gloi i mewn. Cripiodd y ddau am y drws. Trodd Dafydd yr allwedd yn y clo yr union eiliad ag y peidiodd sŵn y gloch. Profodd ddolen y drws i wneud yn siŵr ei fod wedi'i gloi ac i ffwrdd â'r ddau fel milgwn.

Wrth iddyn nhw garlamu nerth eu traed i lawr y coridor, clywodd yr efeilliaid Len yn gweiddi'n groch. 'Pwy sy 'na? Pwy sy'n chwarae gêmau fa'ma?'

Wedi cyrraedd drws yr ysgol, arafodd y ddau am eiliad i weld a oedd Gari o gwmpas, ac yna i ffwrdd â nhw eto, ar draws y cae chwarae ac i lawr y grisiau i'r hen loches. Roedd llais Len wedi gwanhau. Gyda lwc, ni chlywai neb ef am oriau.

Er hynny, gwyddai'r ddau nad oedd llawer o amser ganddyn nhw. Oedd hi'n bosib cael hyd i'r arian cyn i Len gael ei ollwng, neu cyn i Gari ymddangos?

'Gadewais yr allwedd yn y clo!' ebychodd Dafydd.

'Dim ots!'

'Dylwn i fod wedi dod â hi efo mi.'

'Paid â phoeni dy ben am y peth,' cysurodd Siân ef. 'Ble mae'r torts?'

Safai'r drws i'r lloches yn gilagored. A dyna lle'r oedd trwyn Byrt yn dangos yn y bwlch— roedd o'n disgwyl amdanyn nhw. Wrth iddyn nhw gamu i mewn, llanwyd y lle â'r oerni arferol. Rhedodd y ddau i lawr y twnnel a phelydr y torts yn ysgubo o'u blaen. Dilynodd Byrt nhw gan anadlu'n drwm a rhoi cyfarthiad bach cynhyrfus bob hyn a hyn.

O'r diwedd, cyrhaeddon nhw'r Swyddfa Reoli.

'Fa'ma roedd o'n sefyll,' meddai Dafydd gan

fynd yn syth at y wal gefn, 'yn tynnu cerrig allan o'r wal. Mae 'na bridd caled y tu ôl iddyn nhw. Dyna lle'r oedd yr arian.'

'Roedd y pridd yn weddol rydd 'radeg hynny,' meddai Siân. 'Efalla bod amser a'r lleithder wedi'i galedu.'

'Neu wedi'i wneud o'n fwy llac.'

Dechreuodd Dafydd grafu'r wal, ond yn ofer. Gafaelodd yn y cerrig a thynnu a thynnu, ond nid ildiodd 'run ohonyn nhw.

'Dwi'n sicr mai fa'ma oedd o,' cwynodd yn ddryslyd. Roedd arno ofn gweld Len ddialgar yn carlamu i lawr y twnnel unrhyw funud. 'Ble arall alla fo fod?'

'Ychydig yn uwch, dwi'n meddwl,' atebodd Siân. 'Cofia fod Arthur yn dalach na ti.'

Estynnodd Dafydd cyn belled ag y medrai at garreg finiog uwch ei ben. Ymdrechodd â'i holl nerth, ac yn y diwedd fe symudodd. Glawiodd cwmwl o lwch i lawr a llenwi'i lygaid a'i geg. Tagodd a chamu'n ôl.

'Y bwrdd!' galwodd Siân. 'Gwthia fo draw, ac wedyn medr y ddau ohonon ni weithio arni.' Gafaelodd mewn coes cadair wedi'i thorri. 'Defnyddia i hon.'

Ar frys mawr, dringodd yr efeilliaid ar ben y bwrdd. Bu'r ddau yn crafu, pwnio, a thyllu'n hir ar wyneb y wal. O'r diwedd, daeth un garreg allan, ac wedyn un arall, ac un arall, a chaent eu gorchuddio gan gymylau o lwch du bob tro. Bu raid i Dafydd weithio ag un llaw gan ei fod yn dal y torts yn y llall.

'Dwi'n meddwl 'mod i wedi cyrraedd yr haen o bridd y tu ôl i'r cerrig,' chwythodd Siân. Gafaelodd yng nghoes y gadair a dechrau pwnio'n galetach. 'Mae o'n teimlo'n fwy llac, beth bynnag.'

Stryffaglodd mewn cwmwl arall o lwch. 'Aros funud!' Cawsai gip ar rywbeth. 'Goleua'r torts 'na 'ma, Daf. Na—fa'ma!'

Safodd Dafydd ar flaenau'i draed a rhoi ei fraich yn y twll. Caeodd ei fysedd am becyn llaith a'i dynnu allan.

Syllodd y ddau'n syfrdan ar fwndel o hen bapurau hanner canpunt. Doedd dim dwywaith amdani! Ysbail Arthur oedd hwn!

'Ac mae 'na fwy!' anadlodd Dafydd.

Yn y diwedd, tynnodd Dafydd naw bwndel o'r twll. Dringodd yr efeilliaid i lawr a'u pentyrru ar wyneb y bwrdd. Roedden nhw'n llaith a budr, ac wedi'u gorchuddio â gwe pry cop. Ond doedd yna ddim amheuaeth—arian breiniol oedd y cwbl!

'Beth am eu cyfri nhw?' meddai Dafydd yn grynedig.

'Ddim fa'ma! Rhaid inni fynd o'ma cyn i Len ddianc.'

Chwiliodd Dafydd o gwmpas y swyddfa a chafodd hyd i fag. 'Rhown ni'r arian yn hwn,' meddai.

'Aros funud.'

'Be sy?'

'Dwi'n nabod y bag 'na. Mae 'na sip i lawr yr ochr. Arthur oedd biau hwn. Wyt ti ddim yn cofio? Gwelson ni o jyst cyn iddo farw.'

Nodiodd Dafydd. 'Ydw. Defnyddiwn ni o. Lle mae Byrt?'

Buon nhw mor brysur yn chwilio am yr arian, doedden nhw ddim wedi sylwi bod Byrt wedi diflannu. Clywsant sŵn cyfarth a rhedodd y ci allan o'r twnnel. Edrychai'n bryderus iawn, a throdd ei ben sawl gwaith i graffu'n ôl i dywyllwch y twnnel.

'Be sy?' sibrydodd Siân.

Anwybyddodd Dafydd y ddau. Roedd o'n rhy brysur yn stwffio'r bwndeli arian i mewn i'r bag—ac yn rhy brysur, a dweud y gwir, i sylwi bod aer y loches wedi oeri'n arw. Yna trawyd ef gan chwa ddychrynllyd o oer a theimlai ei fod yn disgyn i agendor rhewllyd.

Roedd y lloches wedi'i oleuo'n ddisglair. Crogai cadwyni o bapur lliwgar o'r nenfwd, ac roedd llwythi o fwyd i'w gweld ym mhobman.

Gosododd rhesi o fyrddau hir i lawr y ddau dwnnel, pob un yn griddfan dan bwysau o basteiod a theisennau, a pheth wmbredd o boteli lemonêd a chwrw. Ar y meinciau bob ochr i'r byrddau, eisteddai dwsinau o ddynion, merched a phlant yn gwisgo hetiau papur.

Yn y pen draw, roedd Miss Perry a'i phlant. Uwch eu pennau roedd darlun o Arthur wedi'i hoelio ar bolyn o dan ddau boster o Winston Churchill yn rhoi ei arwydd o fuddugoliaeth. Safai maer Hockley yno hefyd, ar ganol rhoi araith bwysig i'r gynulleidfa. Doedd ei lais ddim yn glir i ddechrau, ond yn araf fe gynyddodd y sŵn. Ond ble'r oedd Siân? meddyliodd Dafydd. Ni welai hi yn unman. Ysgubodd panig drosto.

'Ac oni bai am rodd caredig Arthur Jackson,' meddai llais y maer, 'fuasen ni ddim wedi medru mwynhau'r wledd yma i ddathlu buddugoliaeth y wlad a diwedd y rhyfel.'

Wrth ei draed, gorweddai twmpath o focsys mygydau nwy, helmau ARP, gwisgoedd y Gwarchodlu Cartre, ac arwydd ffordd mawr yn dweud;

EWCH I LECHU! CYRCH AWYR!

Edrychodd y maer i lawr arnyn nhw ac aeth ymlaen, 'Mae'r holl stwff yma'n gyfarwydd iawn i ni, wrth gwrs, ond cyn bo hir bydd y cwbl yn perthyn i'r gorffennol. Wnawn ni byth anghofio— y gorffennol erchyll pan fu Arthur Jackson farw. A wnawn ni mo'i anghofio fo chwaith.'

Y funud honno, gwelodd Dafydd Byrt y ci yn gorwedd wrth droed y maer, ac er mawr ryddhad iddo, roedd Siân yn sefyll yn ymyl.

'Ac rydw i'n cofio Arthur yn dweud wrtha i cyn

iddo farw mor sydyn ychydig o fisoedd yn ôl,' meddai'r maer, 'petai'r Cynghreiriaid yn ennill y rhyfel, ei fod o wedi gadael digon o bres i dalu am barti mawr i bobl Hockley i lawr yn y lloches yma, lle bu cymaint ohonon ni'n cysgodi yn ystod amseroedd dyrus iawn. Ar eich traed, bawb, i yfed llwncdestun i Arthur—ein noddwr.'

Cododd pawb eu gwydrau gan weiddi, 'I Arthur!' Yna gwaeddodd rhywun arall, 'Ac i Byrt hefyd!'

'Mae'n rhaid diolch yn arw iddo fo yn y llecyn bach yma o Lundain,' meddai'r maer eto. 'Ac wrth gwrs, mae'r Lloches Anifeiliaid yn gofalu am ei Labrador nawr, ac wedi rhoi cartre da iddo. Cofiwch fod Arthur wedi cefnogi'r Lloches yn hael dros y blynyddoedd, a chofiwch hefyd ein bod ni'n casglu at y Lloches heddiw. Nawr, eisteddwch a mwynhewch y parti!'

Safai platiaid o dartennau jam blasus yn ymyl Dafydd, a sylweddolodd yn sydyn ei fod o'n newynog iawn. Buasai wrth ei fodd yn claddu'i ddannedd mewn tarten jam llawn sudd. Ond sut medrai? Doedd o ddim yn yr amser iawn. Caeodd ei lygaid yn erbyn y temtasiwn. Gwelai'r darten o flaen ei lygaid, yn ffres, a newydd ei chrasu yn y popty.

'Rhaid i mi beidio ag ymyrryd yn y gorffennol!' dwrdiodd ei hun. Ond roedd y temtasiwn yn ormod iddo. Estynnodd ei fraich a gafael yn y darten. Roedd hi yn ei geg mewn chwinciad. Gwaeddodd Siân arno a thynnu ar ei fraich.

'Paid!' sgrechiodd. 'Ti'n gwybod yn iawn be fydd yn digwydd!'

Rhy hwyr! Caeodd ei ddannedd ar y darten. Gwaeddodd mewn poen. Rhewodd ei geg, ei ddannedd, a'i wddf. Fedrai ddim anadlu. Fu erioed cymaint o ofn arno. Rhuthrodd wal enfawr o oerni tuag ato—wal ddu, drwchus, yn sgleinio â rhew.

Agorodd ei lygaid o'r diwedd i weld ei fod o a Siân yn ôl yn yr hen loches lychlyd. Safai Byrt yn ei ymyl yn craffu tuag agoriad y twnnel. Roedd pelydr pwerus yn torri trwy'r tywyllwch du.

'Cuddia!' sibrydodd Siân.

Ond roedd hi'n rhy hwyr eto. Y tu ôl i belydr cryf y torts safai Len a Gari—Gari'n gwenu'n sbeitlyd ac wyneb Len yn llym a bygythiol.

13

'Be sy yn y bag 'na?' ysgyrnygodd Len.

'Roeddach chi ar ôl arian Arthur wedi'r cwbl,' cyhuddodd Dafydd ef, 'yn doeddach?'

'Ddim 'i bres o oedd o yn y lle cynta. Roeddwn i am ei roi o'n ôl i'r banc. Bûm yn chwilio amdano fo ers blynyddoedd. Ma' 'na wobr ar gael.' Arhosodd yn synfyfyriol. 'Rydach chi'ch dau mewn trwbl mawr. Torri i mewn i'r ysgol . . . rhwystro gweithiwr tra oedd yn gwneud ei ddyletswydd . . . tresbasu . . . a thrin eiddo sy wedi ei ddwyn . . .'

''Dach chi wedi'ch dal!' torrodd Gari ar ei draws. 'Wedi'ch dal o ddifri!'

Chwyrnodd Byrt a chododd y blew ar ei war. Dechreuodd gyfarth yn lloerig. Ond yn ofer, wrth gwrs. Nid oedd gan Len na Gari 'run syniad ei fod o yna.

'Ac ar ben bopeth, dydi'r lloches 'ma ddim yn lle diogel,' meddai Len yn sydyn. 'Buaswn yn taeru bod un o'r polion sy'n dal y to i fyny yn ysgwyd.'

Meddyliodd Siân am y tri ohonyn nhw'n rhedeg bendramwnwgl trwy'r twnnel neithiwr. Gwyddai eu bod nhw wedi taro yn erbyn amryw o'r polion ar y ffordd. Ac er i bod hi'n gweld bod Len yn poeni am y perygl, doedd hi ddim am ddangos ei phryder ei hun.

'Rydan ni am roi pres y wobr i'r Lloches Anifeiliaid,' meddai'n hamddenol.

'Tyrd yn dy flaen,' bygythiodd Len. 'Rho'r bag 'na ar y bwrdd!'

Ni symudodd Dafydd.

'Rho fo ar y bwrdd!' gorchmynnodd Len eto.

'Na wnaf!'

'Fi ydi gofalwr yr ysgol. Rydach chi'n tresbasu ar dir preifat. Dwi'n mynnu eich bod chi'n rhoi'r bag yna i mi. A' i â fo i'r banc fy hun.' Swniai Len yn hynod o awdurdodol. Gwelodd Siân fod Gari'n gwenu fel giât.

Symudodd Len yn araf a phwrpasol tuag at Dafydd. Ciliodd Dafydd yn ôl wysg ei gefn nes ei fod yn pwyso'n galed yn erbyn polyn.

'Peidiwch â'i gyffwrdd! galwodd Siân.

Gwnaeth Len ymgais i gipio'r bag, ond gafaelodd Dafydd yn dynn ynddo. Brwydrodd y ddau amdano am rai munudau.

'Gwylia?' gwaeddodd Gari'n sydyn. Roedd y wên wedi diflannu o'i wyneb. 'Mae'r polyn 'na'n siglo.'

'Symudwch i ffwrdd o'r polyn!' sgrechiodd Siân. 'Y ddau ohonoch chi!' Ysgubodd ton o ofn a phanig drosti. 'Mae'r nenfwd am ddisgyn!'

Taflodd Dafydd ei hun i un ochr a Len i'r llall, ond hoeliwyd Siân a Gari i'r llawr mewn dychryn wrth i bridd a cherrig trwm ddymchwel o'u cwmpas. Roedd y sŵn yn echrydus. Lledaenodd cymylau o lwch du dros bob man. Gollyngodd Len a Gari eu tortsys a chuddiwyd hwy yn y fan a'r lle dan orchudd tew o rwbel. Medrodd Dafydd ddal ei afael ar ei dorts o, a phan dawelodd pethau, goleuodd ei belydr y difrod ofnadwy o'u cwmpas.

Ond cyn i neb symud, dechreuodd rhyw wichian bygythiol eto uwchben.

'Y to!' mwmianodd Len. 'Mae'r cwbl am ddod i lawr!'

'Be wnawn ni?' nadodd Gari.

Anwybyddodd Len ef. Roedd y cymylau llwch wedi setlo ychydig. Digon iddyn nhw weld union faint y difrod.

'Awn i byth o'ma!' mwmianodd eto yn anobeithiol.

Dechreuodd Gari grio. Edrychodd Siân yn sobr ar y tunelli o graig a phridd yn crogi uwch eu pennau.

Camodd Arthur allan o'r cwmwl llwch olaf yn edrych yn smart iawn mewn côt fawr o frethyn brith. Trotiodd Byrt ato wrth ei fodd.

Nid oedd yn rhaid i'r efeilliaid gael golau torts i weld bod amlinelliad y ddau fel barrug gwyn. Ond ni ddilynodd yr oerni arferol. A dweud y gwir, roedd yr aer yn y lloches wedi cynhesu rywfaint. Er bod y bag arian wedi'i hanner orchuddio dan rwbel, aeth Arthur yn syth ato, a Byrt yn ei ddilyn.

'Daf?' Swniai'r llais cryf fel pe bai'n llenwi'r holl le. Ond gwyddai Dafydd mai dim ond yn ei ben o oedd o.

'Siân? Ydach chi yna? Y ddau ohonoch chi?'

'Ydan,' atebodd Siân, 'ond mae'r to wedi syrthio ar ein pennau.'

'Cymerwch y bag!' gorchmynnodd y llais. 'Rhowch o yn y stof. Bydd o'n ddiogel yno . . . tan y dowch chi'n ôl. Rhaid i'r wobr fynd i'r Lloches Anifeiliaid. A ddim i unlle arall!'

Tynnodd Dafydd y bag allan o'r rwbel. Goleuodd ei dorts yn syth i lygaid Len a Gari, ond arhosodd y ddau yn gwbl lonydd—mor llonydd fel y gwyddai eu bod nhw wedi'u rhewi mewn amser. Roedd Arthur wedi eu gyrru nhw i ebargofaint.

Agorodd Dafydd ddrws yr hen stof rydlyd a stwffio'r bag i mewn.

'Rhaid i mi fynd,' meddai Arthur. Gwelai'r efeilliaid fod ei amlinelliad yn dechrau pylu.

'Peidiwch â'n gadael!' ebychodd Siân yn anghrediniol. 'Rhaid i chi'n helpu ni! Mae'r to ar fin disgyn . . .'

'Byrt,' meddai'r llais ysgafn. 'Mae Byrt gynnoch chi.' Yna gloywodd ffigwr Arthur am un eiliad, cyn diffodd fel fflam cannwyll.

Cynyddodd yn sŵn ofnadwy uwchben. Gwaeddodd Dafydd enw Arthur drosodd a throsodd mewn panig.

'Ar bwy roeddet ti'n galw?' gofynnodd Len. Roedd o a Gari wedi dod yn ôl i'r presennol.

Ni fedrai Dafydd ei ateb. Roedd Byrt wedi diflannu, ac roedd Dafydd yn gofidio.

'Rhaid i ni fynd o'ma rywsut,' nadodd Gari.

'Rhaid i ni ddisgwyl,' meddai Siân.

'Am be?' mynnodd Len.

'I'r twrw uwchben ddarfod,' atebodd Dafydd. 'Er mwyn i'r to sadio ychydig.'

'Ond be tase fo ddim?' wylodd Gari.

Edrychodd Len yn ansicr. Doedd o ddim yn siŵr a ddylai gytuno â Dafydd neu gwneud penderfyniad ei hun.

'Ble mae'r bag arian?' gofynnodd yn sydyn.

'Wedi'i gladdu yn rhywle, synnwn i ddim,' atebodd Dafydd yn ddidaro.

'Nac ydi!' Roedd Gari'n ddrwgdybus ar unwaith. 'Gwelais ddarn o'r bag yn ymwthio allan o'r twmpath pridd acw.'

'O?'

'Ti'n gwybod yn iawn ble'r oedd o!'

'Dwi'n gobeithio nad wyt ti'n cuddio eiddo sy wedi'i ddwyn,' meddai Len yn awdurdodol. 'Byddai hynny'n ddifrifiol iawn . . .'

Ond roedd y polion yn crynu ac yn gwegian yn fygythiol.

'Mae'r cwbl am fynd!' sgrechiodd Gari.

Rhegodd Len. Anelodd Dafydd ei belydr at y to. Roedd yna chwydd mawr, hyll ynddo.

'I ffwrdd â ni i un o'r twneli!' meddai.

Ond pa un? Wnâi Arthur eu helpu nhw? meddyliodd Siân. A ble'r oedd Byrt? Am y tro cyntaf roedd hi bron â marw eisio'u gweld. Synnodd ati ei hun yn dibynnu cymaint ar fwganod.

Dechreuodd ddwndwr mawr ddilyn gwichian bygythiol y polion, a disgynnodd darnau o bridd ar eu pennau. Roedd hynny'n ddigon i Gari. Gwibiodd am y twnnel agosaf â sgrech, a Len yn glòs wrth ei sodlau.

'Tyrd yn dy flaen!' gwaeddodd Siân ar Dafydd. 'Am be wyt ti'n disgwyl?'

'Efalla nad ydyn nhw'n mynd y ffordd iawn.'

'Dim ots!' meddai, a dechreuodd y ddau redeg. Prin cyrraedd y twnnel wnaethon nhw cyn i weddill y to ddisgyn. Gyrrwyd pridd, cerrig, a llwch du trwchus i bob cyfeiriad. Gorchuddwyd y gegin a'r hen Swyddfa Reoli yn gyfan gwbl. Ynghanol y llanast, meddyliodd Siân am yr hen stof yn y gegin a'r bag arian tu mewn. Oedd o wedi diflannu am byth y tro yma?

Wrth iddyn nhw rasio ar ôl Len a Gari, sylweddolodd Dafydd mai fo oedd yr unig un efo golau. Clywai nhw'n baglu ar draws pethau ac yn gweiddi mewn poen.

'Arhoswch!' gwaeddodd.

'Does dim ffordd trwodd,' meddai Len a'i wynt yn ei ddwrn. Caeodd y tywyllwch amdanyn fel clogyn du, ond dangosai golau'r torts dwmpath uchel o graig a phridd o'u blaen.

'Rhaid inni droi'n ôl!' udodd Gari, yn crynu fel deilen. 'Trio'r twnnel arall!'

Ond chafodd neb gyfle. Syrthiodd y to y tu ôl iddyn nhw â rhuad ofnadwy.

'Mae wedi darfod amdanan ni!' meddai Len wedi i'r dwndwr orffen. Dechreuodd Gari feichio crio, a theimlai'r efeilliaid yn gwbl ddiobaith wrth i torts Dafydd ddangos y difrod, a'u sefyllfa druenus. Safent mewn cell fach dim ond tri metr o led, a bob ochr iddynt roedd yna rwystr anferth o rwbel.

'Mygu wnawn ni!' meddai Len yn anobeithiol.

Ac yn wir, roedd yr aer eisoes yn teimlo'n hen.

Daeth sŵn canu o rywle. Edrychodd yr efeilliaid ar ei gilydd. Deuai o'r tu ôl i'r rwbel a orweddai ar draws y ffordd allan. Roedd sŵn y lleisiau'n wan, ond roedd geiriau'r hen gân Saesneg o'r Ail Ryfel Byd yn adnabyddus iawn:

'We'll meet again, don't know where, don't know when,
But I know we'll meet again some sunny day,
Keep smiling through, just like you always do,
Till the blue skies drive the dark clouds far away.'

'Dwi'n dechrau gweld pethau!' mwmianodd Siân.

'Be?' beichiodd Gari.

'Dim byd,' atebodd Dafydd. Ond roedd o'n dechrau gweld pethau hefyd.

Clywodd yr efeilliaid sŵn dwdl-byg yn syrthio i'r ddaear, a gwelsant fwganod adeg y rhyfel yn eistedd ar y meinciau yn y twnnel. Roedd pawb yn canu wrth i'r lloches gael ei hysgwyd gan ffrwydrad ar ôl ffrwydrad.

Roedden nhw i gyd yno. Miss Perry a'i phlant, trigolion Hockley, y warden, a hyd yn oed Arthur a Ron—yn eu hamser nhw, pan oedden nhw i gyd yn fyw ac yn iach. Ac amser godidog ac arwrol oedd o, meddyliodd Siân—y merched yn eistedd yn gwnïo llenni duon i roi dros y ffenestri, ac Arthur a Ron, er gwaethaf yr elyniaeth rhyngddynt, yn yfed paned o de ac yn siarad efo'i gilydd. Ac uwch eu pennau, yn eironig, crogai'r arwydd mawr yn dweud:

GALL SIARAD DIOFAL GOSTIO BYWYDAU!

Gorweddai Byrt wrth draed Arthur, ei ben ar ei bawennau, a'i lygaid ar gau.

'Fedr 'run ohonyn nhw ein helpu,' sibrydodd Dafydd.

'Rhaid iddyn nhw!' oedd ateb Siân.

Cododd Byrt yn ddioglyd ar ei draed a diflannodd yr holl olygfa.

Dechreuodd mwy o bridd syrthio ar eu pennau. Roedd Gari'n crio'n afreolus erbyn hyn.

'Dyna ni, mae wedi darfod amdanan ni!' meddai Len eto.

'Dydi'r pridd ddim yn syrthio o'r to,' sylwodd Siân. Mae o'n dŵad o'r twll 'na—rhwng y rwbel a'r to.'

'Dwi ddim yn deall.' Edrychai Len yn hollol ddryslyd.

'Byrt!' Dyna pwy sy wrthi . . .' ebychodd Dafydd. 'Dwi . . .'

'Pwy?' gwaeddodd Gari ar dop ei lais.

'Neb! Dim byd!' meddai Dafydd yn frysiog wrth iddo anelu ei belydr dros y rwbel at y twll.

'Rhaid i ni ddringo i fyny,' meddai Siân. 'Rŵan! Cyn i'r twll lenwi eto neu i'r to syrthio.'

'I fyny at y to?' Roedd Len wedi dychryn. 'Ambosib . . . mae'r rwbel mor simsan.'

'Fel pobman arall!' gwaeddodd Dafydd.

'Wel . . .'

'Dowch yn eich blaenau!' Dechreuodd Gari ddringo i fyny'r rwbel. 'Dwi ddim eisio marw yma!'

Ond roedd Arthur eisio marw yno, meddyliodd Siân, ac am y tro cyntaf, cofiodd â hoffter yn hytrach nag ofn.

Yn araf, araf, a chydag ymdrech fawr, dringodd y tri arall ar ôl Gari.

'Fedri di wasgu dy ffordd drwodd?' Chwaraeodd Dafydd ei olau ar draed Gari yn chwifio yn yr awyr.

'Bron iawn! Wn i ddim be sy ar yr ochr arall,' cwynodd. Rho'r torts i mi.'

'Na. Mae angen golau ar y lleill.'

'Dwi ddim yn gwybod ble dwi'n mynd,' protestiodd.

Ond gwnaeth Len Large fwy o ffws fyth pan gyrhaeddodd o'r twll. Triodd Dafydd ei orau i oleuo'r lle iddo.

'Fedra i ddim!' cwynodd. 'Wna i byth wasgu drwy'r twll bach yna.'

'Rhaid i chi drio!'

'Na, fedra i ddim!'

'Rhaid i chi, Mr Large!' mynnodd Dafydd. 'Os na wnewch chi . . .' Ond ni fu raid iddo orffen ei frawddeg. Rywffordd neu'i gilydd, roedd Len wedi'i wasgu'i hun drwy'r twll, ac wedi llwyddo i gyrraedd Gari.

'Wyt ti'n iawn, Daf?' gofynnodd Siân wrth iddi hi stryffaglo i fyny'r rwbel tuag ato.

'Ydw. Dim ond gobeithio nad ydi gweddill y to am syrthio.'

'Fuase Byrt byth yn chwarae tric mor wael.'

'Efallai nad ydi o'n gwybod.'

'Mae bwganod *yn* gwybod! Wyt ti wedi sylwi bod yr oerni wedi mynd? Ac mae Arthur a Byrt yn dal o gwmpas.'

'Wedi'n derbyn ni o'r diwedd, efalla,' meddai Dafydd yn ddistaw. 'Ac am bod ni wedi llwyddo i wneud beth roedd Byrt eisio, dwi'n siŵr y bydd y pres yn ddiogel y tu mewn i'r stof nes i ni gael cloddiwr i glirio'r rwbel.'

'A be tase Len Large yn cael cloddiwr yna yn gynta?'

'Paid â phoeni,' meddai Dafydd. 'Dydan ni ddim wedi dioddef hyn i gyd am ddim byd. Awn ni i weld yr heddlu, a betia i y rhown nhw'r wobr i'r Lloches Anifeiliaid.'

'Ond pam ddylen nhw?' Roedd Siân yn gofidio cymaint am yr arian ag yr oedd hi am ddianc o'r lloches. 'Ein gair ni yn erbyn gair Len . . . os na . . .'

'Os na be?' gofynnodd ei hefell yn ddiamynedd.

'Os na wnaiff Byrt helpu mewn rhyw ffordd.'

'Fydd Byrt yn disgwyl i *ni* wneud rhywbeth,' atebodd Dafydd. 'Fel arfer!'

Wrth i Siân ymnyddu drwy'r bwlch, cadwodd Dafydd ei olau arni gan weddïo na fyddai'r to yn syrthio eto. A gweddïo hefyd na fyddai cynlluniau Len a Gari i ddwyn arian Arthur yn llwyddo. Pan ddaeth ei dro fo i'w wthio'i hun drwodd, teimlai'n gryf fod y gorffennol yn ymestyn allan i gynnig diolch iddo fo a Siân.

Wrth i'w ben a'i freichiau ymddangos yr ochr arall, fflachiodd ei dorts at i lawr. Safai Len, Gari a Siân wrth droed y rwbel yn y twnnel, a'r tu ôl iddyn nhw, yn eistedd ar y meinciau hir bob ochr, roedd yr ysbrydion i gyd.

Gwyddai Dafydd mai dyma'r tro olaf y byddai'n eu gweld nhw. Roedd eu ffurfiau mor aneglur nes eu bod nhw bron yn hollol dryloyw, a gwyddai fod Siân hefyd yn eu gwylio nhw'n pylu. Yn sydyn cafodd deimlad o golled enbyd.

Dynion a merched mewn hetiau a chotiau glaw, pâr o wardeniaid ARP, hen dramp, aelod o'r heddlu, hen nain a'i merch, dwy yn eu harddegau yn pwffian chwerthin, mam yn siglo'i phlentyn i gysgu, tad yn llenwi croesair, a dynes yn prysur ysgrifennu mewn dyddiadur—y cwbl yn troi'n gysgodion disylwedd. Ymhell yn y pellter, clywodd yr efeilliaid seiren yn cyhoeddi bod y perygl drosodd, ac yna gwelsant Arthur ei hun, ei amlinelliad yn aneglur iawn, yn cerdded drwy'r ysbrydion eraill mewn siwt dywyll streipen fain.

Prin y gallent glywed ei lais yn dweud, 'Dowch, bawb! Does gen i ddim amser i'w wastraffu!' Wrth ei sodlau roedd Byrt. Yna daeth sŵn hisian ysgafn a diflannodd y cwbl o'u golwg. Yn eu lle, safai Gari yn swnian yn flin, 'Be 'dach chi'ch dau'n rhythu arno? Dowch ar unwaith! Rhaid i ni fynd o'ma!'

Ar y gair, ailddechreuodd y dwndwr uwchben, ond yn uwch ac yn gryfach y tro hwn. Fflachiodd Dafydd ei olau at y to. Roedd yn crynu a chwyddo, nid yn unig yn union uwch eu pennau, ond ar hyd y twnnel cyfan. Dechreuodd bridd a llwch lawio i lawr. Roedd hi'n anodd gan Siân gredu bod yr un peth yn digwydd eto.

'Rhedwch!' gwaeddodd.

'Wnawn ni byth gyrraedd mewn pryd!' ebychodd Len. 'Byth—'

'Caewch eich ceg a rhedwch!' bloeddiodd Siân eto, a'i wthio o'i blaen.

Gwibiodd Gari heibio iddyn nhw a'i ddwylo'n gwarchod ei ben. Glawiodd pridd, cerrig, a darnau craig i lawr a'i bledu'n giaidd.

'Rhedwch!' llefodd Dafydd. 'Nerth eich traed!'

Hanner cwympodd a hanner bagodd y pedwar dros y rwbel ar y llawr wrth rasio am y drws. Edrychai hwnnw ymhell iawn i ffwrdd.

'Fedra i ddim!' gwichiodd a phwffiodd Len wrth iddo redeg.

Roedd yn rhaid i bawb warchod eu pennau nawr. Syrthiai darnau anferth o'r to i lawr. Cynyddodd y cwmwl llwch gymaint nes i olau'r torts gael ei guddio. Llanwodd y llwch eu gyddfau a'u tagu. Tyfodd a lledaenodd yr hollt o olau dydd yn y pellter, ond cynyddodd sgrechiadau Gari wrth i fwy o'r twnnel ddisgyn. Tybiodd Siân fod ganddyn nhw tua ugain metr i fynd.

'Rhedwch!' gwaeddodd. 'Peidiwch â rhoi'r gorau iddi!'

Edrychai'r golau dydd o'u blaen yn fwy clir nawr, a medrai Siân arogli'r awyr iach. Doedd y llwch ddim mor drwchus, ac yna, o'r diwedd, medrai weld heulwen! Roedd hi ar y trothwy, ac yna'n hanner cwympo i fyny'r grisiau cerrig i'r cae chwarae. Oedden nhw i gyd wedi llwyddo i ddianc?

I gyd? Gwelai Gari. Ond ble'r oedd Dafydd? Taerai ei fod yn union y tu ôl iddi eiliadau'n ôl. Ond doedd o ddim yna rŵan. Na Len Large. Trodd a charlamu'n ôl i mewn i'r lloches.

Rhedodd i lawr y twnnel yn ei dwrdio'i hun am beidio â chadw gwell golwg arno. Syrthiai'r rwbel fel cawod ddiddiwedd o law trwm. Trawodd garreg fawr hi. Gwaeddodd mewn poen. Yna baglodd dros rywbeth meddal. Sgrechiodd mewn panig llwyr.

'Y fi sy 'ma!' brathodd llais Dafydd.

'Be wyt ti'n 'i wneud?'

'Len. Dydi o ddim yn symud. Dwi'n meddwl bod carreg wedi'i daro. Ac mae o'n gwaedu. Dwi wedi trio'i dynnu o ar hyd y llawr ond mae o'n rhy drwm . . .'

'Mi helpa i di.'

Rywffordd, drwy'r cymylau llwch a'r cawodydd rwbel ciaidd, llwyddodd yr efeilliaid i lusgo corff Len gerfydd ei freichiau—allan i'r awyr iach ac i ddiogelwch.

Gorweddodd Dafydd ar y cae chwarae yn ddu drosto ac yn llwch i gyd. Ymladdodd a gwichiodd am ei wynt. Wrth ei ochr, roedd Gari yn yr un cyflwr, ac erbyn hyn roedd Len hefyd wedi dod ato'i hun ychydig ac yn ceisio codi ar ei draed dan fwmian, 'Rhaid i mi gael hyd iddo.'

Rhedai pobl fel llif afon i mewn trwy giât yr ysgol ac i'r cae chwarae, wedi'u dychryn gan sŵn arswydus y lloches yn dymchwel.

Ble'r oedd Siân? meddyliodd Dafydd. Cododd ar ei draed yn simsan. Doedd hi erioed wedi mynd yn ôl i'r lloches? Llygadrythodd ar yr adeilad. Yr arswyd mawr! Doedd 'na ddim ond cwmwl mawr du lle bu'r hen ddrws.

'Siân?' gwaeddodd. Ceisiodd rhywun ei orfodi i eistedd eto. 'SIÂN?'

Yna, bu bron iddo gael ei daro i lawr gan chwa gryf o aer rhynllyd, a neidiodd Byrt allan o adfeilion yr hen loches. Ond yn lle rhedeg at Dafydd, anelodd am Len Large. Roedd hwnnw'n gwegian tua'r lloches, yn mwmian iddo'i hun, a golwg penderfynol ar ei wyneb. Trawodd y gwynt oer ef. Arhosodd yn stond gan syllu mewn braw ac anghrediniaeth ar yr olygfa o'i flaen.

'Yr Helgi o Uffern!' ebychodd, cyn disgyn yn ddiymadferth ar y cae wrth i seiren car heddlu ddechrau cwyfan.

'Siân!' llefodd Dafydd eto yn wangalon. 'Siân! Ble'r wyt ti?'

Roedd yr oerni enbyd yn dechrau cilio, a gwelai Byrt yn rhedeg o'i flaen at y pentyrrau o bren, cerrig a phridd fu unwaith yn lloches. Dyna lle'r oedd Siân yn sefyll yn eu canol, yn syllu i lawr rhyw dwll oedd wedi agor yn y rwbel.

Cyn i neb fedru ei rhwystro, a chyn i Dafydd a Byrt ei chyrraedd, diflannodd Siân i mewn i'r twll. Yn y gwaelod, safai'r hen stof lle y cuddiwyd ysbail Arthur. Roedd hi wedi'i tholcio ac yn llwch a rwbel i gyd, ond roedd hi'n dal yn gyfan. Wrth i Dafydd gyrraedd a'i wynt yn ei ddwrn, agorodd Siân y drws—a thynnu allan hen fag Arthur yn llawn o arian papur.

Diweddglo

Safai'r efeilliaid dan gysgod yr hen dderwen fawr y noson wedyn. Roedden nhw wedi llwyr ymlâdd ar ôl ateb rhibidirês o gwestiynau gan yr heddlu, eu rhieni, a'r prifathro, Mr Decker. Ond glynodd y ddau at yr un stori—yr oedden nhw wedi cytuno â'i gilydd i'w dweud, sef eu bod nhw wedi clywed si bod ysbail Arthur wedi'i guddio yn yr hen loches, a'u bod nhw, rywsut neu'i gilydd, wedi bod yn ddigon lwcus i gael hyd iddo. Derbyniwyd eu stori yn y diwedd, er mai digon niwlog oedd eu hesboniad o darddiad y si.

Y newydd da oedd bod banc Barclays wrth eu bodd yn cael yr arian yn ôl, ac wedi addo rhoi gwobr sylweddol i gronfa'r Lloches Anifeiliaid er mwyn diogelu ei dyfodol.

Y newydd drwg oedd bod Siân a Dafydd mewn trwbwl mawr am dresbasu ac am eu gosod eu hunain mewn cymaint o berygl. I wneud pethau'n waeth, roedd Len Large a Gari yn arwyr yng ngolwg pawb. Dywedodd y ddau eu bod nhw wedi gweld yr efeilliaid yn mynd i mewn i'r lloches, ac wrth sylweddoli'r perygl, wedi rhuthro ar ei holau a'u hachub. Wrth gwrs, roedd yn rhaid

139

i Len egluro ei fod wedi gweld Gari'n rhedeg yno i ddechrau, ac wedi rhoi rhybudd iddo. Ond gan fod Gari wedi anwybyddu hwnnw, bu raid i Len ei ddilyn.

Yn ystod yr holl drafod, dywedodd Mrs Golding, mam Siân a Dafydd, fod brawd hynaf Len Large, sef Ron, wedi bod yn ffrind pennaf i'w hen ewythr Arthur. Dyma esbonio diddordeb Len yn y lloches, meddyliodd. Ond o leiaf roedden nhw wedi llwyddo i rwystro Len a Gari rhag cael eu dwylo barus ar yr arian.

Uwch eu pennau, chwythodd awel fach dyner drwy ddail y dderwen gan greu sŵn siffrwd.

'Mae'n union fel petai'r goeden yn sibrwd wrthyn ni,' meddai Dafydd.

Yna sylweddolodd yr efeilliaid mai dyna'n union roedd y goeden yn ei wneud. A chyn bo hir, daethon nhw i ddeall y geiriau:

'We'll meet again, don't know where, don't know when . . .'

Y tro yma, ni ddaeth oerni annifyr i'w brathu. A dweud y gwir, dechreuodd y noson gynhesu wrth i Arthur a Byrt ymddangos a throi i mewn trwy giât y cae chwarae. Arhosodd Arthur am funud i benlinio a dal pen y ci yn ei ddwylo. Mwythodd ef a chusanu ei drwyn. Ac yna, wrth i olau'r haul suddo'n araf dros y gorwel, diflannodd y ddau fwgan i bwll o olau melyn.

Wyt ti'n ddigon dewr
i ddarllen storïau eraill
yng nghyfres *Gwaed Oer?*

2

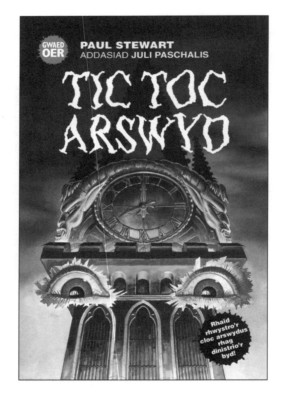

GWAED OER

PAUL STEWART
ADDASIAD **JULI PASCHALIS**

TIC TOC
ARSWYD

Rhaid rhwystro'r cloc arswydus rhag dinistrio'r byd!

3